# 奪われし日本

斉藤新緑　福井県議会議員
坂の上零　アースセイバー

ヒカルランド

◉斉藤：ナオミ・クラインは、『ショック・ドクトリン』という本で、事故が起きたり何かがあった場合、どさくさ紛れに後ろで何かをやっていると書いていましたが、アメリカは、借金体質で経済危機をもたらし、どうにもならぬドル体制を、コロナを理由に壊す方向に行くんじゃないか？

◉坂の上：東京・新宿では、コロナに感染したとわかったら、お見舞い金10万円をあげていたし、学校が、刑務所のように見えます。子どもたちが、何となく受刑者のように見えます。暑いのに、子どもたちがマスクをさせられて、給食のとき以外はマスクをとっちゃダメと言われて、教室はずっと、シーンとしている。ちょっとおかしいんじゃないか。

◉斉藤：共産主義的な、ファシズム的な、旧ソビエトのような社会が、今の日本にある。「これからの日本の新しい暮らし方」みたいな言い方で煙に巻かれていますけれども、その実態がファシズムであり、個人の自由や言論を統制した社会、人間と人間の絆が分断されて個人がバラバラになる社会が推進される。

◉坂の上：私は、新宿なんかを、たくさんの人がマスクをしてブワーッと歩いているのが、ゾンビの群れに見えてしようがないんです。怖いですよ、本当に。こんな言い方すると、語弊があるかもしれませんけど、世にも不思議な世界の中にポーンと毎日いる感じがします。

◉斉藤：今回「新型コロナ」という名前ではなくて、「今度のはちょっと強力なインフルエンザだ」と言っていたら、こんなふうにはなっていないと思うよ。「今年のインフルエンザは、抵抗力の弱い人が肺炎になって死ぬ」というぐらいのものだ。現実に、いつも1万人とか死んでいるインフルエンザが、今年（2020年）はコロナとインフルエンザを合わせて5000人に減ったのです。

## 坂の上零のホンモノ発見シリーズにご登場いただいた斉藤新緑氏をプロデュースした理由

コロナパンデミック演出による、ワクチン接種へと誘導する政府に対して、自身の新聞で、真実を述べることで、自民党にある意味、反旗を翻してまでも、

国民と、自身の新聞の読者である福井県の支持者の命をワクチンから守ろうとした。

そこには「日本病」はみじんもなく、正義と民への愛を感じる。

私のように作家やアーティストであれば、言論統制はあまりされない。
自由である。

しかし、政治家は違う。政党に属し、さまざまな支持者や利害関係者が周りにいるので、当然、その調整や、しがらみで、自由な発言はできなくなるものだ。

特に、ワクチンについて真実を言い、人々を守ろうとするなどと、自民党に所属していながら、やれることではあまりない。

それは、ある種の捨て身の覚悟でなければできないのだ。

抜いた刀を安易にまた鞘に納めるようなことも、彼はしないだろう。令和の時代に、明治の志士のような正義のために立ち上がる真の政治家がいたのだと、少し救われた気持ちになった。

斉藤新緑氏、ホンモノ発見シリーズで、その志、行動、勇気、正義感を貫くところなどを評して、ホンモノの生き方として、ぜひご紹介したい。

坂の上零

ワクチンの真実などを勉強し、いろんなことが判った。
ワクチンの危険性を解っていながら、
毒饅頭を食べようとする人が目の前にいて、
何も言わないでいたら、私は殺人罪になってしまう。
それは、人間として、私の魂が許さない。
何のために学ぶのか、人口削減計画に基づく殺人兵器であるワクチンを打たないように警鐘をならすのは、当たり前である。

斉藤新緑

◎斉藤：本当は政府が紙幣を発行すればいいのに、その権限が政府から、ある意味、奪われているわけです。そして、日銀に渡っている。日銀の株主はいまだに不透明です。ロスチャイルドとは言えないもんですから。

◎坂の上：もっと言えば、日本政府も株式会社になっていまして、びっくりしましたよ。会社です。株式会社日本政府ですって。笑っちゃいますけど、ちゃんと株式会社番号まであって、登録されているの。「エェーッ、政府じゃなかったの？　会社だったの？」と思ったけど！

◉斉藤：今の日本という国がまずいなと思うのは、ワクチンの話だけではない。まず、種子法が廃止になった。種苗法も改正になりました。農業の種子の問題は、全部アグリビジネスのグローバル企業に奪われていく可能性があるのです。種が支配されたら、食が全部支配されます。食という部分から言っても、除草剤という部分からも、日本は何をしたかと言ったら、農薬基準の数値を上げたのです。

◉坂の上：400倍に上げています。

◉斉藤：各国が農薬の基準の数値を下げたのにです。それで全部日本に来るようになった。ラウンドアップという除草剤は全世界的に撤退しているのですが、日本ではホームセンターで売っています。

◉斉藤：TPPの問題や、種子法が廃止になったり、種苗法が改正をさせられる動きだとかを見ていると、この国を守ろうとする人たちが政治の場で本気で戦ってくれなかったら、どこの国の誰のための政策なのかと正直思うことがありますね。

◉坂の上：グローバル企業の利益のための政策なんですよ。つまり、教育も奪われ、種子も奪われ、そして水道利権さえ奪われる。実際に、自治体では東京都もそうなりつつありますし、既になっている市もあります。

◉坂の上：コロナのことを怖がるんだったら、食品添加物や、毎日どんなものを食べているかを怖がったほうがいい。それのほうがよっぽど重要です。オーガニックのものを選び、若干高くてもオーガニックのものを買うようにすれば、オーガニックの農家さんもふえていきますし、オーガニックの大地もふえていきます。知って、私たちは絶望するしかないのか。それでは知らなかったほうがよかったですねという話になります。知ってから、じゃ、どうするのかというところのヒントに、先生がつくってこられた自給自足の、都市と農村が融合したような一つのモデル地区があります。

◉斉藤：5G（5世代）の携帯についての安全性が確認されないということで、ベルギーは国自体がまだ認めていないのですけれども、日本は、さっさと始まっています。電磁波の問題ももちろんあるのですけれども、IoTと絡まって、どんどん進んでいくのでしょうね。全部インターネットにつながって、モノが人間を監視する社会が到来する。新世界秩序（ニューワールドオーダー）と言われてきたことが進んで、結果的にはこのインターネットをはじめとするコンピューター管理で世界を支配する。世界を一つに束ねていくような方向になるのだろうなと思います。

◉坂の上：それは私も全く同じ意見です。政府機能でさえもＡＩ化されてくる。つまり、ＡＩが政府になる。ＡＩが「善い人」「悪い人」を判断し、評価する。採用すべきか、すべきではないか、この仕事につけるべきかどうか、結婚すべきかどうかまで、なんとＡＩが判断したり、評価を下す社会になるのではないか。これからは、全てがＩＴの中に、バーチャルなインターネットの世界の中に、現実のリアル社会がすっぽり入る感じになるのかなと思います。

生きることの原点は、自給自足。

スローフード、スローライフ。

自然に生かされて生きる。

集団催眠から目覚め、

集団や組織に依存しない自分を信じて生きる。

斉藤新緑

「ワクチンで人口削減する」とビルゲイツが公言するように、ワクチンは殺人兵器。

コロナの目的は、ワクチン接種。

危険なワクチンを打たないように訴え、

一人でも、救いたかった。

自民党とか、立場がどうとかの話ではない。
人間として、政治家としての根本的なことだ。

知っていて、それを言わなければ、私は殺人の罪を犯すことになる。

政治屋は次の選挙を考え、政治家は次の時代を考える。

斉藤新緑

選挙で一緒に戦うお孫さん

「ほっとらいん」で地元有権者にメッセージを伝える

カバーデザイン　重原隆
校正　トップキャット
本文仮名書体　文麗仮名（キャップス）

目次

# 第1部 コロナ恐怖をあおって監視社会を加速させているのは誰なんだ!?

# 第2部 斉藤新緑、アグリツーリズモNora(ノラ)から世界を語る

# 第1部

# コロナ恐怖をあおって
# 監視社会を加速させているのは誰なんだ!?

**坂の上零**

## ルシファーシリーズ　第3回

# 日本の敵はなんと！
# 日本政府になってしまった！
# 斉藤新緑氏（福井県議会議員）、緊急参戦!!

時・2020年7月11日(土)
所・ヒカルランドパーク
　　Zoom　生配信

# Part 1
# 原発事故では「大丈夫」、コロナでは「自粛」、おかしくないか、この国は？

**坂の上**　皆様、今日はお越しいただき、ありがとうございました。そして、カメラの向こうにいるたくさんの皆様も、ご視聴くださいまして、ありがとうございます。坂の上零のホンモノ発見シリーズ第12回です。

今日は、すばらしいゲストに、わざわざ東京にお越しいただきました。福井県の県議であられます斉藤新緑先生です。どうぞよろしくお願いいたします。

今、日本の先行きを憂いている方がかなり多くなっています。そこで、地方から日本を守る、そして、地方で本来の日本を復活させていこうじゃないかというテーマで、これからの日本を担い、背負っていく若者たちへのメッセージということで、進めさせていただきたいと思います。

まず、斉藤先生、コロナウイルスによって自粛は解かれたものの、まだまだ予断を許さない状況で、東京では毎日かなりの感染者が出ているというニュースがあります。先生は今日、東京にいらしていただいたわけですけれども、地方の方々が東京に来るというときの東京のイメージは、どんな感じなのでしょうか。

**斉藤**　「東京へ行くな」という話ばかりです。なぜこのときに東京に行くんだと、家族みんなから反対された。孫も先月生まれたばかりで、「もう帰ってくるな」とか「2週間は誰にも会わないで」と言われました。東京には行かないようにということも大っぴらに言われています。ただ、議会が終わったこの日ということで前から約束していたから、寄せてもらいました。

**坂の上**　ありがとうございます。来てわかったと思いますけれども、東京は普通でしょう？　武漢のような感じではないじゃないですか。しかし、東京に行くとコロナに感染するんじゃないかという過剰な報道がなされている。先生が東京に来る新幹線は、ガラガラだったのではないですか。

**斉藤**　すいていましたね。

**坂の上**　東京と大阪間のドル箱の新幹線でさえ、かなり空きが目立つということだそうです。こういう状況では、コロナよりも、コロナによって発生するであろう経済危機が心配です。人が移動しない、人が出歩かない、人が閉じこもることによって起こる経済的な損害は、やはり大きい。小さな飲食店のみならず、ＪＲも、航空会社のＪＡＬとかＡＮＡとかも、このままいけば危ないんじゃないかという状態です。なぜならば、日本人が海外に行こうとするでしょう。そうすると、2週間拘束される。あるいは向こうから日本に来ると、2週間拘束される。こんなことではビジネスがとまります。

モノもそうです。輸出、輸入で成り立っている国は、その速度が急激に遅くなっています。私も今、本当に困っているのですけれども、日本に入ってくるはずのモノが、なかなか入ってこない。スプレーボトルも姿を消したし、あらゆるモノが姿を消してしまい、今、国内生産のほうに切りかえていこうとしています。

先生は、このコロナウイルスの状況をどのように理解していらっしゃいますか。例えば、東京はごらんのとおり、99％の人がマスクをしている状態です。学校は再開されましたけれども、過剰なぐらいに消毒したり、シールドのようなものをかぶらされたり、マスクをして、机につい立てみたいなものを立てて勉強しています。レストランに入れば、カウンターの席も、横の席が全部区切られているし、銀行に行くと、2つあけて座るようになっています。これは地方でも同じような状況なんでしょうか。

**斉藤**　同じです。ただ、私は今年で地方議員30年目になりますけれども、例えば今のマスクの件について言えば、医学的にはマスクでウイルスを防御することはできなくて、外のテニスコートで砂を防ぐようなものだということが従来から言われてきましたし、抗菌剤も、手には常在菌がいないと免疫力を落とすと言われてきたのです。それが今回に限って、なぜマスクをつけさせられているのかということが非常に疑問です。従来のインフルエンザのときは何もなかった。

パンデミックの話で言えば、前回の新型インフルエンザの大流行はブラジルから始まると言われていたのです。それでタミフルとかを山ほど買って備蓄していたのに、結局大したことがなくて、賞味期限切れで返却するようなことになった。これまでも私は、パニックに陥らないように、インフルエンザの本をいっぱい読みました。今回も、身構えていないところへポンと出てきて、危ない、危ないと、テレビにあおられた話だけが蔓延し、非常事態宣言みたいなことで、私権を国任せ、地方任せにしている。これは、過去の例から見ると、非常におかしなことばかりなんです。

**坂の上**　例えばどういうところがですか。

**斉藤**　同じ危ないということで言えば、東日本の震災で原発事故が起きたときは、大丈夫だ、大丈夫だと宣伝をやったのです。しかし、東京を含めた関東一円だけでなく、国全体に放射能が随分ばらまかれた。あれは自粛宣言をして、外出禁止をやるべきだったと私は思うんです。今回のこのコロナウイルスなどというものは、ネットでつかんだ情報によると、当初から、ほとんどインフルエンザ並みか、以下だというのです。

ウイルスの強さと感染力は、トレードオフの関係にあって、いわゆる感染力が強いのは致死率が低い。感染力が低いやつは致死率が高い。今回も、閉じ込めるという方向で追跡調査をやっているのですけれども、基本的には、SARSとかMERSとかエボラは、かかったら4割は死ぬ。感染力は低いですから、閉じ込めて、徹底してマークをするわけです。ところが、コロナは、感染力が低くて風邪並みに広がっていき、ほとんどが重症化しない、特に40代以下の若い人は死ぬ

斉藤　ウイルスの強さと感染力は、トレードオフの関係にあって、いわゆる感染力が強いのは致死率が低い。感染力が低いやつは致死率が高い。

SARSとかMERSとかエボラは、かかったら４割は死ぬ。

ところが、コロナは、感染力が低くて風邪並みに広がっていき、ほとんどが重症化しない。

確率はゼロに近いとまで言われているのに、国は、その若い人たちのいる学校を全部とめてしまうということをやった。それもさっぱりわからないのです。むしろ高齢者とか、あるいは持病持ちの人とか、免疫力が非常に弱い人を中心に閉じ込めるというか、外に出ないように気をつけなさいとするとか専門のところに置いて、それ以外の、40代以下の人はどんどん外に出て活動すべきだと、私は率直に思うのです。

**坂の上**　免疫力が低いから感染するのであって、免疫力がちゃんと正常であれば、コロナは恐れることはないわけですね。

**斉藤**　ワクチンとか治療薬がないんだということでパニックがつくられているみたいですけれども、現状、インフルエンザだって、ワクチンも治療薬もあるのに、年間1万人ほどは平気で死んでいるわけですよ。肺炎とか結核も、昔から治療薬もあるのに、10万人とか死んでいるわけです。それらと比較をすると、今回やっていることは非常に疑問ですね。なぜこういうことをやっているのか。むしろ、ワクチンもなければ治療薬もないのに、死亡者はこのぐらいの数でおさまっているのだから、心配するほどのものではないのではないか。

# Part 2 コロナ以前に日本はGDP7%減、これも全部コロナのせいにできる

## このままで日本経済はもつのか

**坂の上**　一部感染者が非常に多いと言われている東京・新宿では、コロナに感染したとわかったら、お見舞い金10万円をあげるんだそうです。そういうことをしていたということを私も最近知りました。10万円あげるから検査に来てねと言うのか、かかったから10万円あげるのか、よくわかりませんけれども、こういったこととセットで感染者を囲い込もうとしているのです。感染者が誰で、どこにいてといったことを行政が把握しようと試みているのかもしれませんけれども、お見舞い金10万円を配っているところの感染率が高い（笑）。ちょっと笑うような

話なんですけど、先生はこれをどう見ますか。

**斉藤**　アメリカの議員でお医者様をしている人が言っているのをネットで見たのですが、アメリカの厚生省から、コロナ陽性の人の死亡診断書はみんな死因をコロナにしなさいという指導があったみたいです。極端な話、交通事故であってもコロナで死亡ということにする。通常、インフルエンザとか風邪をこじらして肺炎になって死んでも、「死因は風邪」とは書かないわけですけれども、今回の場合は、非常に危ないということを啓蒙するために、あおるために、わざとやっているような気配がちょっとあります。

**坂の上**　つまり、コロナの感染者数、死亡者数をあえてふやすために、コロナで死んだ人を水増ししている。

**斉藤**　イタリアは初めのころ、感染者が非常に多かった。実際はEUからおカネが出るとかということで、死因をコロナということにしたみたいなことが報道されていましたけれども、基本的には、自粛は何かを解決しているわけではない。ウイルスが一度表に出たら、ずっと残っていくわけです。初め凶暴であっても、いずれ自然とマッチして、共存して生きていく格好になる。

**坂の上**　我々が抗体を持ちますからね。

**斉藤**　それでも毎年インフルエンザのように出てくるのだろうと思うけれども、実際に解決を図るには、自粛ではなくて、集団免疫をつくらないといけません。それには、学生とか元気な人にどんどんかかってもらう。６割ぐらいの人がかかれば、集団免疫ができる。むしろ閉じ込めれば閉じ込めるほど、解決が遅れて、そのたびに経済が足止めされて、徹底的な経済破壊になるわけです。

ナオミ・クラインは、『ショック・ドクトリン』という本で、事故が起きたり何かがあった場合、どさくさ紛れに後ろで何かをやっていると書いていましたが、アメリカは、借金体質で経済危機をもたらし、どうにもならぬドル体制を、コロナを理由に壊す方向に行くんじゃないかと言われています。

**坂の上**　コロナは経済危機を、ある意味誘発するため、はっきり言えば、ドルを崩壊させるためにやっていると理解すればいいということですか。

**斉藤**　アメリカの財政がそこまで行き詰まっているということは前々から言われていた。日本も、郵政民営化とか年金基金の運用とか消費税を上げるとか、ありとあらゆることをして、そのおカネは日本国民のために使っているかというと、株とかアメリカの国債とか、むしろ他国の支援をするために使われているのではないかという憶測もある。日本の経済が悪いのも、みんなコロナのせいだみたいにしていますけれども、実際は消費税を上げたのが相当大きいでしょうね。

**坂の上**　日本のＧＤＰは、２０２０年（令和2年）のコロナが始まる前、つまり1月末の段階で既に７・１％のマイナスだったわけです。これは明らかに前年の10月にやった消費税10％増税による景気の悪化だと思います。消費を皆さんが抑えたから、こうなったわけであって、コロナとの関係は何もないときに、既に日本のＧＤＰは7％もの赤になっている。さらに、コロナでＧＤＰは10・7％のマイナスです。ＧＤＰが10％もマイナスしているということは、我が国のＧＤＰの総額を考えれば、50兆ぐらいのおカネがなくなっているということです。ＧＤＰのマイナス、落ち込みは、それぐらい重いのです。消費税アップとコロナによって、50兆のおカネが日本から消えてしまった。これから新しい経済、新しい産業を本気でつくっていくところにベクトルを上げていかなければいけないのですが、これからもコロナの第2波、第3波で、自粛であるとか、危ないから東京に行くなとか、東京の人は来るなとか、あるいは日本人は空港で検査を受けて2週間待機だとか、外国人が日本に来ることに対してても同じことをするとかということをやっていると、経済がもたない。大企業も、もたない。そうなったときに、どういう影響が来てしまうのか。

既に今の段階で、11％近いわけです。11％もですよ。たった2％のGDPを上げるのに日銀はどれだけ大変な思いと努力をしていることか。しかし、今回は、一気にマイナス11％ぐらいはいっている。そして、これが何の対策もなしに、このままの経済状態であれば、日本経済は、こういう言い方をしてはいけませんけれども、未来に希望を持てるような状態には全然ない。日本株もどんどん安くなってくるでしょうし、コロナが大量に発生していると言われている土地の地価は安くなっていくと思うんです。皆さんが逃げるから。誰も来ないから。私が投資家だったら、そういう安くなった日本の優良企業の株や、コロナで地価が安くなった日本の土地や物件を買いあさります。そのようなことは実際に行われているのでしょうか。

**斉藤**　私は、地方のレベルですから、よくわかりません。ただ、従来の世界を支配している人々というか金融資本、いわゆる金融エリートの人たちは、インフレをつくったり、デフレをつくったりを平気でやるじゃないですか。わざと破壊しては、その国の企業の株を乗っ取ってしまうみたいなことをずっと繰り返してきた。世界恐慌だって何だって、みんなその仕掛けに基づいてやっている。偶然で起きているような物事は一つもないじゃないですか。そういう観点からすると、今回も極めて綿密に計画されて、やられているものだと思います。

**坂の上**　突然ウイルスが襲ってきて、それに対応しているというよりは、ウイルスを何年何月何日にまくぞという計画のもとにまき、それに基づいて経済危機を起こさせて、優良企業や物件を買いあさる。国の力を弱めて民を貧しくさせて、金融エリートの人たちに従うような状況をつくろうという意図があると私も思います。

## コロナで、風景がさま変わりした

**坂の上**　ただ、コロナに関して、過剰な恐怖をマスコミや政府が与えたりしたものですから、自粛が解かれた今も、マスクをしている人たちが9割です。そして、今日のこの会場にも、本来だったらもっと人がいるのですけれども、今は外出を控えている。コンサートとかライブとか、私もジャズを歌ったり演奏したりするものですから、なかなかできなくなってしまっていますが、そういったところの存続が今、大変危ぶまれています。人の意識が恐怖にさいなまれている。コロナが意図的につくられたものであったにせよ、まだまだマスコミの力が大きくて、「コロナ怖い病」と私は呼んでいますけれども、自粛が広がっている。同窓会をしようと言っても、3分の2以上が来ないそうです。いかに経済的な危機を招くかということですね。

こういう状態で今、学校も企業も、リモート授業とか自宅勤務とかにするものだから、銀行でもどこでもサービスが極めて悪くなっています。お客様を待たせても平気だったり、コロナのせいにすれば許されると思っているんじゃないかというぐらいにサービスが低下している。過剰なリモートワークとか自宅勤務は、これから先、「君、ずっと自宅勤務していていいよ」と言われる人が結構出て、大量解雇につながっていくのではないか。

学校にしても、風景がさま変わりしました。みんなで輪になって給食を食べる姿はなくなりました。みんなで議論したり、手を挙げて答えを言ったりするような、活発な授業、子どもらしい姿が教室から消えた。その結果、これは私の主観で、もしかしたら間違っているのかもしれませんけれども、学校が、何となく刑務所のように見えます。子どもたちが、何となく受刑者のように見えます。暑いのに、子どもたちがマスクをさせられて、給食のとき以外はマスクをとっちゃダメと言われて、教室はずっと、シーンとしている。ちょっとおかしいんじゃないか。

そして、厚生労働省も、とうとう「マスクは熱中症の危機を高めるし、ほかの健康被害が起こりますので、やめてください。マスクは効果ありません」と言いました。ポスターまでつくっている。それでもほとんどの人がマスクをしています。

これだけ長時間、人間はマスクをしていたことがないじゃないですか。長い間マスクをしていることによって、特に子どもに顕著らしいですけれども、かかとが痛いとか、胸が痛いと訴える人が多くなっています。横隔膜が正常に開かなくなってしまったことによって、体のほかの臓器が機能不全になっている。子どもたちの教育も、これからずっとこんな感じでやっていくとすれば、教育の質が下がるという深刻な状況が懸念されますね。

**斉藤**　毎日これでもか、これでもかと、コロナは今日も何件あったとか言う。あれをインフルエンザでやったらどうなっているのかと思うくらい。カラスの鳴かない日はあっても、コロナが危ないということがテレビで流れない日はないというくらい徹底してやっている。

**坂の上**　朝から晩まで徹底してやっていますね。

**斉藤**　先ほどから言っているマスクの生活をしたり、テイクアウトの生活をしたり、ネットで勉強したり、会議をしたりしているわけです。これを向こうでは「ニューノーマル」、こっちでは「新しい生活様式」という格好で、これからずっと続けていくというアナウンスをしている。

**坂の上**　気持ち悪いですよね。

**斉藤**　これには明確な意図があると私は思いますね。はっきり言って、自分でモノを考えたり、自分で行動したり、自分で勉強して判断するというのではなくて、みんなと一緒のことをするという行動をとらせる。みんなと一緒のほうが気楽だとか、国や役所が言うとおり行動していたほうが楽だ。自粛警察みたいなのが横から出てきて「なぜおまえはマスクをしないんだ」ということになると、面倒くさいからマスクをするという社会が定着していくのだと思います。

**坂の上**　要は、一般人同士をお互いに監視させる。そして、暗黙の圧力でそういう一つの方向に向かって流れさせ、そこからはみ出るものを許さない。

**斉藤**　みんなが集まって議論したり、みんなで行動したりということがどんどんなくなって、それぞれがバラバラで、孤立化していく。

**坂の上**　砂のように、バラバラにされてしまっていますね。

**斉藤**　そういうスタイルをずっと続けさせるという意図があるんじゃないかな。

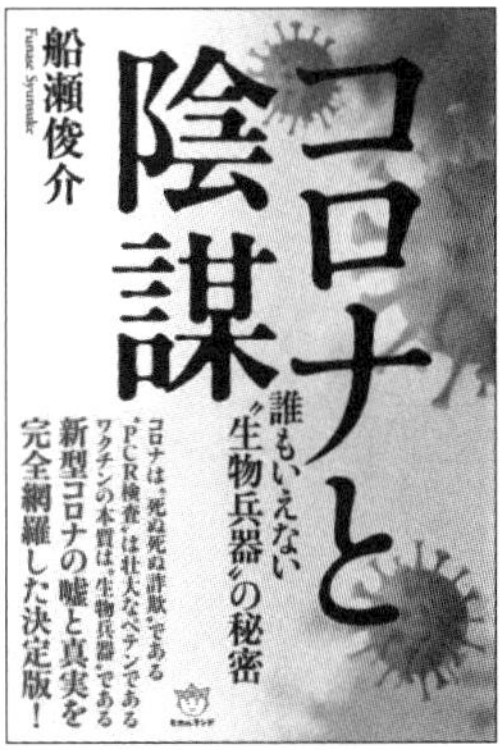

# Part 3

# 分断統治、監視社会、家畜ロボットの群れがベストと思う人々がいる⁉

## ロボット製造社会への道をたどり始めている日本

**坂の上**　人が集まったりするのを極力避けさせ、議論をしたりといったことも極力少なくさせ、一定の方向に向かっていくことをよしとさせられ、そこからはみ出るものをみんなで監視して、許さないぞという社会って、私が間違っているかもしれないですけれども、ファシズムの共産主義社会とどうしてもダブるのです。旧ソ連のときもそうでした。子どもがお母さんを監視したり、夫が妻を監視したり、お互いが監視し合って、お互いが密告者となる。個人の自由はなくて、言論の自由はもちろんない、みんなが一つの方向に、ロボットのように進んでいく社会になっている。そして、中国なんかもそうらしいですけれども、人が集まるのをよしとしない。つまり、グループを組んだりしていると、テロを企てているだとか、反政府の活動を始めているみたいに思われて、人間らしい活動や行動が極度に制限され、監視される。

今の日本は、そういう共産主義的な、ファシズム的な、旧ソビエトのような社会が、今の日本にある。「これからの日本の新しい暮らし方」みたいな言い方で煙に巻かれていますけれども、その実態がファシズムであり、個人の自由や言論を統制した社会、人間と人間の絆が分断されて個人がバラバラになる社会が推進される。その先に待っているのは、これは私の推測ですけれども、一括統治のような、集団マス洗脳みたいなことなのかなと思います。

いずれにしましても、かつて来た道じゃないですけれども、今の日本の状態を見ていると、戦前の日本に戻っていくのかなという雰囲気さえあります。あの当時は、自分の息子を戦場にやりたくないと言うだけで、非国民とされた。赤紙が来たら、戦争に行かなくてはいけない。本当は人殺ししたくない、行きたくないと言っても、拒否する権利はなくて、病気じゃない限りは、行かないといけなかった。それに対して異議を唱えようものなら、隔離されたり、逮捕されたり、「教育」という形で徹底的にひどい目に遭ったわけじゃないですか。みんな、こんなの間違っていると本当は思っていたけれども、言えなかった。怖いから、生きていくために仕方がないから、従っていた。

戦前の日本の人たちが、「将軍様、万歳」とやっている北朝鮮の人たちと同じに見えます。そっくりそのままというわけではないけれども、言いたいことを一人一人が言えなくなる社会になるのではないか。こうあれという流れからはみ出る人、例えば私のような人は、非国民じゃないですけれども、みんなで変人扱いしよう、つまはじきにしようみたいな雰囲気が加速されて、生きていくことが極めて困難になるのではないか。そういう社会から大物は生まれますでしょうか。

**斉藤**　監視社会みたいなものができてしまうと、身動きがとれないでしょうね。

**坂の上**　そうすると、ロボットみたいな人間しか出てこない。「末は博士か大臣か」じゃないですけれども、明治時代の『坂の上の雲』の登場人物のような、器のでっかい男たちは、もうあらわれてこないんじゃないか。そして、器のでっかい男たちを育てる女もあらわれてこないんじゃないかと私は危惧します。

**斉藤**　今現在でも、国に褒められる人は何かが安く手に入るとかスタンプをもらえるとか、そういう話が、どこかの国にはもう既にある。日本も、このまま推移すると、そういう社会になっていくのでしょうね。

**坂の上**　そういう中で、私も、作家であると同時に母親です。先生も、お孫さんが生まれたばかりでしょう。私たちが死んだ後も、その子たちはこの国に生きるわけです。だからこそ、この国を立て直したい、ちゃんとした国を残したいと思うわけですが、このままの状況で進んでいけば、確実に私たちの子どもたちは、徹底した管理社会の中で生かされる。

例えば昔のカーネギーとか、渋沢栄一とか、ああいった偉大な、大物の器を持った人間はもう生まれないのではないか。怪物と呼ばれた男のような出光の創始者とか、トヨタの創始者とか、本当にすごい男たちをもう生まなくなる。そして、そういう男たちを育てるすごい女の人ももう生まれないんだろうなと思うと、極めて残念です。この監視社会は、私の

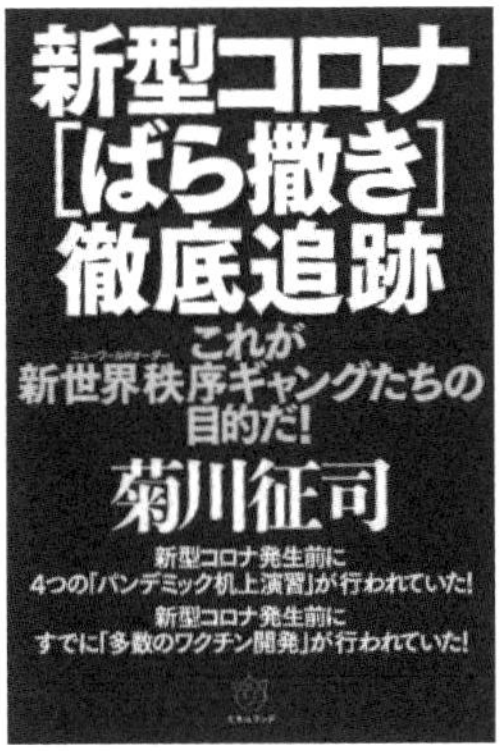
新型コロナ
[ばら撒き]
徹底追跡
これが
新世界秩序《ニューワールドオーダー》ギャングたちの
目的だ!
菊川征司
新型コロナ発生前に
4つの「パンデミック机上演習」が行われていた!
新型コロナ発生前に
すでに「多数のワクチン開発」が行われていた!

理解では、日本だけじゃなくて、世界的に行われていますが、ロボット製造社会なのではないか。だとすると、誰がこのロボットを管理するんだということになります。

## マスクをしろという集団圧力

**坂の上**　話がそれましたけれども、議会が終わったばかりですね。議会では今、どんなことが話し合われているのですか。

**斉藤**　今の議会はほとんどコロナ一色ですね。経済対策をどうするかとか。福井県は、PCR陽性者の人口比率が東京に次いで多かったのです。私は、知事には、コロナよりも経済をとめるなということを随分言っていました。経済が悪くなって、倒産件数がふえれば、自殺者がふえるというのは、統計上、当たり前のように出ているわけです。コロナのこのレベルで、と言うとめちゃくちゃ怒る人がいる。「マスクなんか必要ない」とか「手なんか異常に洗うな。そっちのほうが危ない」と言うと、「おまえは何だ」と、百家争鳴というか、ボコボコにされる。

今は少し落ちついたから、「いつまでマスクしているんだ」みたいな話にはなるけれども。

**坂の上**　一時期、ひどかったですよね。

**斉藤**　あの当時は、言論の自由が認められないみたいな雰囲気がありました。今はちょっと落ちついたけど、あの当時は、連休まで我慢すれば、その後はもう終わるんだ、みんな我慢しよう、ここで我慢しないヤツはダメだという空気があった。それからズルズルと、この真夏になってもまだマスクをしている。アンパンマンに出てくるバイキンマンが、マスクに病原菌をつけてみんなにまき散らしたような話がありましたね。

アベノマスクを見ていると、何だという思いがあります。そういうことをみんな真面目にやっているんです。東京に来ても、マスクなんかつけるのはバカだと思っているような風貌の人たちが、真面目にマスクをつけて歩いているのを見ると、どこか異常な気がする。国民性で、みんなが守ろうとしているという意識はわかるけど。

**坂の上**　集団圧力だと思いますよ。マスクをしていないと嫌われるみたいな。

**斉藤**　みんなで頑張ろうみたいなものとは内容が全然違うのです。みんなで頑張って我慢すれば何とかなるなんていうのは、勝つまでは我慢しましょうみたいな昔の話になってしまうけれども、自由に議論ができたり、それぞれの考え方を言えばいいような空気がなくなってくるというのが一番ダメだね。

**坂の上**　議論することも許さない、その余地もないということですよ。

**斉藤**　昔から、医療とか保健とかの関係になると、資本主義ですから、言葉は悪いですけれども原子力村とか医療村とか、いろんな集団があります。医療の関係は、全部製薬会社のおカネで回っている。WHOなんかも、製薬会社の資金で運営されていたりするわけです。

今のワクチンとか治療薬も、早く早くというので、本当は18カ月ぐらいかかるとか言っていたのが、もうすぐできそうな話がある。治療薬の臨床試験はどこまでやるのか。

最近は、ワクチンを打った人がインフルエンザになるのです。この間も、あるところで「実

ウイルスは［ばら撒き］の歴史
コロナも同じ!
ワクチンビジネスの超裏側
菊川征司
推薦 船瀬俊介
超一級の資料としてこの本を推す
エイズ(HIV)、エボラ、サーズ、マーズ、トリインフルエンザ、スペイン風邪まで―すべての裏で暗躍する軍産複合体、製薬会社、CIA、WHOの超構図―この歴史に学べばコロナ・パンデミックの全体像が丸見えになる!

は私と私のお父さんがインフルエンザの予防ワクチンを打ったんだけど、2人がかかって、あとの家族は誰もかからなかった」という話を聞いて、何だこれはと思った。

人それぞれなんでしょうけど、生まれてこの方、風邪を引いたらとにかく医者へ行くことしか知らない人は、専門家というと医者のような集団ですけど、専門家というのは、みんな金銭に絡む人ばかり、利益に絡む人ばかりです。原子力もそう。薬というのは、必ず毒なわけです。頭痛に効く薬は、足にも効けば、胃にも効けば、体中に効く。どこかに変調が起きたからといって、2種類も3種類も違った薬を飲んでいたら、体の中でどんな化学反応を起こすことか。病人には病気のための薬しか出せませんけど、健康な人に打つワクチンは、医療ビジネスというか、製薬会社にとっては最高のビジネスなんです。全部に打つわけですから、利益が高い。

**坂の上**　すごいマーケットですよね。

しかも病気の人だけでなく、ワクチン、予防接種は健康な人々にも薬を売れるので利益率が良い。パンデミックなら、人々は恐れから、ワクチンを打って予防

斉藤　病人には病気のための薬しか出せませんけど、健康な人に打つワクチンは、医療ビジネスというか、製薬会社にとっては最高のビジネスなんです。全部に打つわけですから、利益が高い。

坂の上　すごいマーケットですよね。

したいと思います。コロナではワクチンメーカーの製薬企業は、国家にワクチンを大量に売ることができます。今回はワクチンにより生じる副作用や後遺症の責任や補償は全て、製薬メーカーは負わないという「不平等条約」に基づくアンフェアな取引なのです。ワクチンメーカーだけが一人勝ちする仕組みに、日本政府が屈した形になっています。

# Part 4

# このまま黙っていたら ワクチンの強制接種が始まってしまう！

## ワクチンと健康診断は最高のビジネス

**斉藤**　さらに言うと、健康診断も全員が対象です。医療費は国の税収分である年間40兆ぐらいある。がんだって、治療薬はすばらしいものが何回もできているんですけど、それが表に出るときになると、にせ医者だとかなんとかで全部潰される。結局、治療薬は出ていなくて、早期発見、早期治療と言いながら、今でも年間40万人ががんで死んでいる。

**坂の上**　コロナどころではない数の人が死んでいますね。

**斉藤**　例えば、風邪を引いて熱を出すというのは、体内の敵を倒すために、免疫力が熱を出して、殺している。口から入ってきたものは、咳とか痰とか、鼻水で出す。免疫力が戦っている。全部自分の力なんです。ところが、風邪を引いて医者へ行き、医者にもらった解熱剤を飲む。戦っている免疫力をわざと落とされて、長引く。あるいは、こじらす。今回のコロナも、市販の風邪薬とか解熱剤を飲んでみた人が結構重症化したりするわけです。

日本は国民皆保険で非常に恵まれている環境だから、すぐ医者へ行ってもどうということはないけど、ほかの国だったら、風邪を引いて医者へ行くなんていうことは絶対しませんよ。風邪を引いたら家で寝ているしかないんです。風邪を治す特効薬はないんです。それぞれの対症療法しかできない。

マスクはウイルスを防げないとか、手洗いも、真面目に家で念入りにしていたら、常在菌がいなくなって免疫力が落ちる。こういう基本的なことをみんなが知っているかといったら、ほとんどはまず知らない。共通認識がないから、この問題を話し出すと、「何だ、医者の言うことを聞かないのか」という方向に行く。だから、今回のコロナの専門家集団という問題は、非常に難しい。

こうやってしゃべっている私は一体何者かというと、専門家でも何でもなくて、単なる素人です。ただ、専門家が書いた本は、かなり読んでいます。インフルエンザのワクチンは、変異が激しくて、今この人のときにつくったワクチンは、10人目ぐらいになったら全然効かない。宝くじより当たらない。ワクチンを打っても効かないと本に書いてある。

子どもには、インフルエンザがはやると、ワクチンを強制的に打っていた。ところが、前橋市の生徒が、打ってすぐにけいれんを起こした。それで前橋市の医師会が、本当にこのワクチンはいいのかということで、5年間ぐらい打たなかったのです。周りの高崎市とかいろんな市と比較をした結果、全然変わらないことがわかった。

**坂の上**　笑かしてくれますねえ（笑）。

**斉藤**　それで小学生のインフルエンザワクチンの強制接種はなくなったのです。だから、インフルエンザのワクチンはなくなったんだと思っていたら、また製薬会社のロビー活動が始まりまして、年寄りには効くんだとか、打ったほうがかかってもあまりダメージを受けないとかいうめちゃくちゃな話になってきた。行政と政治家は、みんなそれに巻き込まれる。

そういう本を読んできている人間としては、世間で今言われていることは違うんじゃないかなと思うのです。本も読まないし、子どものときから、風邪を引いたら医者へ行く、医者の言うことだけ聞いていればいいんだというので生きてこられる方と、疑問を持って、人間の自然治癒力で病気を治す以外には手だてはない、医者は対症療法はしてくれるけれども根本治療にはならないというところを煮詰めていつも考えている人とでは、意識が違う。テレビと違うことを言うと、「何を言っているんだ。こんなものは風邪とは全然違うんだ」と大騒ぎになる。だから、僕らもこうやってしゃべってはいるけれども、面と向かって、こんなことでケンカし合うのもイヤだし、自分の主張、自分の考え方は言ったとしても、それをみんなに、「おまえたちがやっているのは間違いだ」とか、そんな大騒ぎをするつもりはないんです。

## 新型コロナウイルスワクチン待望論の本当の意図

**坂の上**　ただ、今はマスクをしていない人が白い目で見られるというだけだから、まだいいですけれども、これがワクチンに変わってきたら、話は別です。

今、ちまたでは、ワクチンを打って、抗体をつくってコロナウイルスに感染しない、発病しない自分になろうじゃないですけど、ワクチン待望論がかなり出ています。私は、ワクチンを国民全員に義務化して打たせようということの動きが、もしかしたらこのコロナウイルスを意図的にばらまいた本当の理由だったのかなと思えなくもないんです。

といいますのは、ドイツでは2020年5月ぐらいに、ワクチンの義務化、そして、全てのドイツ国民にマスクを義務化する法案がつくられようとしたのです。私はドイツの国民をすごく尊敬しています。

私がやっている、はこぶねコミュニティーみたいなものも、ドイツで先にできたのです。我が地域に未来をつくろうということで、地方からドイツ市民が集まって、いろいろな政策をつくり、それを市議会へ投げた結果、自然エネルギーや脱原発やオーガニックの、それまでとは全然違うドイツに変わっていった。その動きを私は、ＣＯＣＯＮＡＵ、はこぶねコミュニティーで一緒にやりたいと思ったのです。ドイツをまねてというわけじゃないですけれども、ドイツができたん

坂の上　ワクチン待望論がかなり出ています。私は、ワクチンを国民全員に義務化して打たせようというこの動きが、もしかしたらこのコロナウイルスを意図的にばらまいた本当の理由だったのかなと思えなくもないんです。

だから、日本でもできると思って、私は今度、オーガニック先進国のドイツに行って、オーガニックで一番のところと技術提携し、はこぶね組合と一緒に研究をやろうとしています。

ドイツは、日本よりもはるかにちゃんとした情報を皆さんが知っています。ちゃんとした情報が一般人まで行き届いているから、マスクを義務化する、あるいはワクチンを義務化するという法案がドイツで持ち上がったときに、市民が率先して大規模なデモをやったりして、廃案にした。これって、すごくないですか。

日本人だってできると私は思うんです。ところが、やるためには、私たちがもうちょっと勇気を持たなきゃいけないし、少なくとも事実を知ってもらいたい。陰謀論でも何でもないわけです。ワクチンの義務化という、私が25年も前から言っていたことが、今起こっているわけじゃないですか。そして、そのワクチンの中に、もしかしたらとんでもないものが入っているかもしれない。それを人体に入れてほしくないと私は思っているんです。

アメリカやイギリスの製薬会社のワクチンからして、とてもうさんくさいものだなと私は思っています。日本で、ワクチン薬害は定期的に起こっています。エ

坂の上　ドイツは、日本よりもはるかにちゃんとした情報が一般人まで行き届いているから、マスクを義務化する、あるいはワクチンを義務化するという法案がドイツで持ち上がったときに、市民が率先して大規模なデモをやったりして、廃案にした。これって、すごくないですか。

イズ、子宮頸がんワクチンも含めた薬害のほとんどは、アメリカとイギリスの金融エリート配下の製薬会社から起こっているのです。そして、日本には、すばらしい医薬品を真面目に研究している研究者がいっぱいいる。私の周りにもいっぱいいるんですけれども、そういった方々には、いろいろなことを言って、なかなか認可を与えない。しかし、イギリス、アメリカのワクチンや薬は、結構早く許可がおります。厚生労働省は、どこを向いて仕事をしているのか。国民の健康を守るのか、製薬会社の利権を守るのか、どっちなのかということにならざるを得ない。

話をドイツに戻しますと、ドイツでも、ワクチンの義務化法案をメルケル政権がごり押ししようとしたのですけれども、ドイツ国民の強烈な反対に遭って、できませんでした。

片や日本は、２０２０年の末から来年２０２１年にかけて、恐らくワクチンの義務化が本格的に議論されてくるでしょう。国会でも審議されると思います。つまり、その段階で、既にやるぞと決まっているわけです。コロナをばらまくと決めたときに、既にコロナのワクチンを出すことも、マッチポンプとして決まっていた。そうすれば、日本人は、マスクだったら、拒否しても白い目で見られて終わりですけれども、ワクチンだったらどうするのか。ワクチンを打たなかった人は、結構な不利益になるのではないか。助成金がもらえないとか、もう出勤してこなくていいと言われたり、学校に行かせてやらないとか、留学できないだとかいう不都合が起こる可能性があります。

# Part 5

# 種苗法、水道の民営化、ＴＰＰ、通貨発行権――日本国民は生きるすべを全て明け渡した！

## 日本の農作物の種が狙われている

**坂の上**　こういう状態の中で、ドイツはワクチンの義務化をやめた。ある意味、ドイツ国民が法案化するのをとめたわけです。こういったことは日本で起きますでしょうかね。

**斉藤**　昔、３Ｓ（スポーツ・セックス・スクリーン）が愚民化政策の典型だと言われていました。今の日本は、多くの賢い人がいるんでしょうけど、愚民の最たるものじゃないんですか。

かつて三島由紀夫は、経済大国の日本に対して、「このままいくと、日本という国はなくなってしまうのではないか、そのかわりに無機質な、空っぽな、ニュートラルな中間色の富裕な、抜け目のない経済大国が極東の一部に残るだろう、それでもいいと思っている人と私は口もききたくない」と本に書いています。経済で浮かれて、その後、中身がだんだん空っぽになってきて、全てがおカネで換算されるようになる。

昨日、実は議会の最終日で、私は産業常任委員会の委員長をしている立場上、種苗法の改正について農民に不利益を与えないよう求める意見書を全会一致で採択し、国に送ったのです。

**坂の上**　それを先生に聞きたかったんです。

**斉藤**　今の日本という国がまずいなと思うのは、ワクチンの話だけではない。まず、種子法が廃止になった。種苗法も改正になりました。どういうことが起きているのかというと、日本が戦後、飢えをしのぐために、それぞれの地域で育つ種を確保しようということで、各都道府県の農業試験場におカネを出して、種を保護するようにしたのです。それが種子法の精神です。はやり病（やまい）が起きたとか、病害虫が出たとか、台風とか、いろいろなことがあっても、品種がその地域地域で違っていれば、一気に飢餓に陥ることはない。

　ところが、その種子法を、民間の活力を削ぐということで廃止してしまったのです。国は、今のところはまだ各都道府県におカネを出しているとは思いますけれども、私たちは、種子法が廃止になったのを受けて、我が県ではきっちり守っていくという条例をつくりました。

**坂の上**　種苗法というのは、種子法とはまた違って、育種者の知的財産権を守るものですね。

**斉藤**　これは、ある面で特許なんです。苗を開発した新品種の登録をして、育成権者を守る。しかし、生産者であり農業者にその権利は及ばない。自分でつくった苗から種を取って、まいて、自家増殖するのは生産者の権利みたいなものだった。種苗法では全部保障されていたのです。

　今回、この種苗法の改正が通常国会に提案されました。ちょうど検察庁の定年延長のやつで、キョンキョンがハッシュタグを送ったら、「小泉今日子が！」というので大騒ぎになりましたが、種苗法は、女優の柴咲コウが、お百姓さんかわいそうとかいうのを出して、注目を浴びた。今は毎日ウイルスをやっていますが、種子法の廃止とか種苗法の改正とか水道の民営化が議論になりましたか。何も知らぬうちに通っているのです。

**坂の上**　そうですよね。そういうことに対して活動したり、反対意見を言っている人たちがいます。私も、ＴＰＰとか水道民営化、種子法廃止とかに反対してきた立場ですけれども、我々の活動なんか、一切報道されることはないですよ。毎回ちゃんとカメラが入っているにもかかわらず、報道されないんです。なのに、ＴＰＰや水道民営化などを推進する側の活動や、意見のみ報道されました。偏った報道であり、中立的な報道はなされてきていません。もうずっとそうです。

**斉藤**　ＴＰＰも、当初は自民党だって、反対の国会決議までしているのです。

**坂の上**　ＴＰＰ反対で政権を取り戻したようなものじゃないですか。

**斉藤**　自民党も、ＴＰＰに反対するということは選挙公約としてうたっていた。それがひっくり返った。トランプが勝って、もうアメリカは参加しないから、ＴＰＰはやらないのかなと思ったら、その他の国と一緒にＴＰＰ加盟をした。

ＴＰＰというのは、基本的には、11カ国で決めた法律になりますので、はっきり言って国の自由がなくなるわけです。上位の法律になってしまう。独立国家は国家主権があります。その一つに、関税自主権がある。よそから来る作物、舶来モノには、高い税金をかけて、国内保護をする。それが昔の日本が発展するときの前提でした。

## 政府通貨を発行せよ

**斉藤**　もう一つは、通貨発行権です。コロナ危機でおカネがなくなったら、政府通貨を発行すればいいんです。理屈的に言うと、日銀が発行するから、日銀に借金ができる。日銀が発行するのではなくて、政府が通貨を発行してしまえば、税金を集める必要もない。

**坂の上**　ところが、ご存じだと思いますけれども、本当は政府が紙幣を発行すればいいのに、その権限が政府から、ある意味、奪われているわけです。そして、日銀に渡っている。日銀の株主はいまだに不透明です。ロスチャイルドとは言えないもんですから、言っていない。もちろん日本政府も株主として入っていますけれども、半々ぐらいかな。

もっと言えば、日本政府も株式会社になっていまして、びっくりしましたよ。会社です。株式会社日本政府ですって。笑っちゃいますけど、ちゃんと株式会社番号まであって、登録されているの。「エェーッ、政府じゃなかったの？　会社だったの？」と思ったけど、アメリカ政府もそうらしいですね。いつの間にか株式会社になっている。ベンジャミン（フルフォード）が「アメリカは株式会社ですから」と言っていたのですけれども、そういう意味だったんだと思った。株式会社になった日本政府の登録番号は、調べれば出てくると思います。

**斉藤**　農業の種子の問題は、全部アグリビジネスのグローバル企業に奪われていく可能性があるのです。種が支配されたら、食が全部支配されます。知的財産権という、いわゆる特許を中心にするために法改正をして、日本の品種を登録して、韓国でイチゴが食べられないようにするとかいううたい文句はあるのですけれども、例えばコシヒカリをゲノム編集とか遺伝子組み換えとかして、品種登録して安価に種を供給すると、通常どおり種を取るようなコストに合わないことは、農業者は誰もしません。

公的な支援がなくて、特許権だけがあっても、農業者はやっていかれない。し

斉藤　農業の種子の問題は、全部アグリビジネスのグローバル企業に奪われていく可能性があるのです。種が支配されたら、食が全部支配されます。

農業者はやっていかれない。したがって、市場占有している安い、遺伝子組み換えみたいな種を使わざるを得ないということに追いやられてくるわけです。

たがって、市場占有している安い、遺伝子組み換えみたいな種を使わざるを得ないということに追いやられてくるわけです。

医薬品ももちろん、治療薬とかワクチンもそうですけれども、日本という国は、遺伝子組み換え作物を一番消費している国なんです。

**坂の上**　世界一ですよね。

**斉藤**　何に一番使っているのかといったら、外食のものや、トウモロコシとか大豆とかの食品だけじゃなくて、清涼飲料水の甘さである果糖ブドウ糖液糖なのです。清涼飲料水を飲むというのは、遺伝子組み換え作物をとっているということです。

この遺伝子組み換え作物というのは、いわゆる効率のよさを重視した、除草剤を使っても枯れない作物なのです。遺伝子組み換えのトウモロコシとか大豆を、ラウンドアップというグリホサートが入った除草剤とセットで販売している。ほかの草はラウンドアップで全部枯れるけれども、セットのトウモロコシや大豆は生きる。

ところが、このラウンドアップの除草剤は、発がん性物質があるということで、ドイツのバイエル社と合併したアメリカのモンサント社が都合のいいデータを出していた。ラウンドアップをまいた学校の庭師さんががんになって、子どもをおいて死ぬのは忍びないというので裁判に訴えたことで、捏造したデータとかが表に出たのです。会社の内部リークなどもあって、庭師さんは裁判に勝ち、ラウンドアップはダメだとなった。そういう訴訟が今、何百件も起きているのです。

**坂の上**　アメリカ1国だけで1万件以上の訴訟が起きていますね。

**斉藤**　ラウンドアップという除草剤は全世界的に撤退しているのですが、日本はラウンドアップをホームセンターで売っています。

**坂の上**　しかも、安いですよね。

**斉藤**　「ラウンドアップ・レディー」といって、「アー・ユー・レディ?」という感じで売っている。

コンビニの弁当も、船に乗る人が、魚を釣りに行くというので買って、1週間も船のかんかん照りのところに置き忘れていたのに、全然かびずにあったそうです。我々はそういうものを食べているのです。

**坂の上**　怖いですよね。

**斉藤**　食という部分から言っても、除草剤という部分からも、日本は何をしたかと言ったら、農薬基準の数値を上げたのです。

**坂の上**　400倍に上げています。

**斉藤**　各国が農薬の基準の数値を下げたのにです。それで全部日本に来るようになった。

牛や鶏が食べる餌にはトウモロコシとかが入っています。畜産農家が、高くても餌を吟味してくれればいいけど、安く早くということで、遺伝子組み換えした安いトウモロコシとかを食べさせるので、結果として、遺伝子組み換えの生産物が出てくる。

海外の肉は、変な話、成長ホルモンとかを使うのです。抗生物質を打ったりする。そういうものについてもヨーロッパの基準は厳しいのです。日本は緩いのです。だから、それが全部日本に入ってくる。人の食い物は、家畜の餌と言ったら失礼ですけれども、どんどん悪くなってきています。それはトータルの話で、どこかの部分だけの話ではない。総合的にそういうところに追いやられてきている。

**坂の上**　それしか選ぶものがないという現実もありまして、それに声を上げない日本国民も、ちょっと悪いですよ。

**斉藤**　消費者グループは、昔はもうちょっとしっかりしていたような気もします。さっきのTPPの問題や、種子法が廃止になったり、種苗法が改正をさせられる動きだとかを見ていると、この国を守ろうとする人たちが政治の場で本気で戦ってくれなかったら、どこの国の誰のための政策なのかと正直思うことがありますね。

**坂の上**　グローバル企業の利益のための政策なんですよ。

**斉藤**　昔は、ロビー活動とか、外資からの企業献金は一切禁止されていたのです。報道機関も、株の何%以上を外資が持ったら、自国の報道がゆがめられるということがあったのですけど、外資の献金を受けて、何のための政党助成金だったかさっぱりわからないような状況もあります。そういうこととかも全部ルーズになって、愛国心というか国を守る根本のところが溶解して、グローバル企業のための政治という方向にどんどん食い荒らされてきていると思います。

## 日本が外資に売られている

**坂の上**　そういった流れでＴＰＰが終結された後は、なし崩し的に日本の国内の法律がＴＰＰの協定に合わせて改正された。種子法廃止と水道民営化と教育民営化、この3つは、実はＴＰＰ協定の交渉に参加させてやるという条件で密約を結ばせられたそうです。なので、ＴＰＰが終結されると同時に種子法廃止になり、水道民営化の話が出てきた。教育民営化の話はまだ出てきていませんけれども、これから来るでしょう。つまり、教育も奪われ、種子も奪われ、そして水道利権さえ奪われる。実際に、自治体では東京都もそうなりつつありますし、既になっている市もあります。

　フランスの、どことは言いませんがロスチャイルドさんの会社のご子息が、麻生さんの娘さんと結婚した。私は政略結婚だと思っていますけれども、水道の利権がフランスに渡っている。料金を徴収するところだけをフランスの会社がやっているのです。確かに老朽化してきているから、設備とかインフラとか、もう一回つくり直さなきゃいけないねというのはそのとおりなんですけど、そういった費用は各自治体の税金で賄うのです。おカネを徴収するところだけ、フランスの企業がやっている。これはピンハネをしたいんだということにほかならないじゃないですか。そういったことがどんどん通ってきています。浜松市などは有名です。

国のレベルで日本を売り飛ばすような、さっき先生がおっしゃったグローバル企業のための政策、政治を国はやっていて、これが市とか県にも落ちてきているのかなと感じます。水道民営化は特にです。神戸市でもそうだし、大阪市もそうです。松山市もそうです。水道民営化なんて、言語道断だと思うんだけれども、実際にもう通ってしまっているところが結構あります。それも、知らないうちに通っているのです。

**斉藤**　地方議会も、いろいろな人がいます。しっかり勉強していないとチェック機能を果たせません。国会だって、今の種苗法の改正の中身をどれだけの人が理解しているのかなと思うことがあります。地方議会では、提案されたことに賛成要員として立つということになったりね。問題意識をきっちり持っている人間が、最大多数会派の中に何人かいれば、とめられることはあっても、少数会派が力んでやったところで、なかなか歯止めがきかない状況もあるし、難しい点はあります。

ただ、提案する側も、水道を維持管理するのにカネがかかるから、民営化すると得になるようなことをさっと思ってしまったりする。水道は、実質競争相手がいないんですから、民間に奪われたら、独裁的に水道料金を上げられてしまう。世界の事例を見ても、採算が合うように水道料金が上げられている。

日本を取り巻いている全体の話として、漁業権を民間に売り渡すことも、各都道府県の知事でできることになったり、いろんなことがされています。それぞれの分野が、トピックスみたいな事件で流されていっているけれども、全ての分野でそういう動きがあると理解すると、物事は見やすくなります。今のままでは非常にまずいというか、どんどんそういう方向に絡め取られていってしまう。

**坂の上**　日本が丸ごと外資に売られている状況ですね。

# Part 6 だから「はこぶねコミュニティー」を作ったのです!

## 蔓延する日本病

**坂の上**　国家がそういうことをやっているから、正直、壁が巨大過ぎるんです。しかし、地方として、このような状態でいかにして日本を守るか、地方を守るか。これに関して先生はどんな政策またはお考えがございますか。

**斉藤**　僕が初めて町議会に出たのは平成3年です。34歳でした。それ以前は、地域の中で青年団活動とか、いろいろやっていて、私たちが頑張れば日本が変わるということを本気で思っていました。

**坂の上**　坂本龍馬みたいに(笑)。

**斉藤**　政治は、それ以来、悪くなる一方ですね。昔の自民党は、派閥もあったけれども、自分党みたいなところがあって、好きなことが言えました。今は、小選挙区制になって、政党らしい、ブレないのは共産党とか公明党とかその辺が軸で、今は自民党の中でも反対する人なんかいない。反対すると、「次は推薦してやらない」となる。小泉さんのときは公認に郵政民営化で対立候補が立てられるとか、いろいろなことがありましたけれども、議論をするとか、反対の理屈を表明するとか別な提案を出すとかいうことが全然出てこないのに、いつの間にかこんな大事な法案が提案されて、いつの間にか決まっていたみたいな話で、国会議員に対して時々、何を考えているんだと言いたいときがあります。地方にいては、我々のできる範囲のことを精いっぱいやっていくことぐらいしかできないなとい

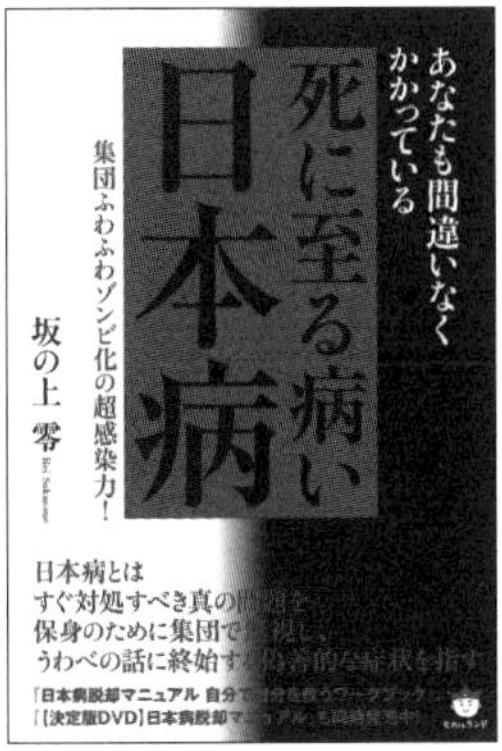

うのが正直なところです。

若いときは、地方から国を変えるんだと思いましたけど、今は、やれることをやる。若い人に伝えるといっても、若い人が集まるような場所が、昔と違って、ないのです。趣味クラブみたいに、それぞれで何人かが集まる場所はあっても、多くの若い人に話を聞いてもらって、問題意識を持ってもらう場がない。みんなスポーツとか楽しいことを追い求めていくだけ。マキャベリの言葉かな、「人間はそもそも小鳥のような行動をする。目の前の餌に気を取られ、上から来る鷹に気がつかない」というのがありますね。

**坂の上**　鷹は１００羽ぐらい来ていますよ。どうしましょうね。

**斉藤**　難しいことはしたくない、人の嫌がることは言わない、楽しいことしかしない。そういう風潮になってしまった。

**坂の上**　それが日本病なんですよ。事なかれ主義というか、挑戦しないというか、目の前で今すぐ何とかしなきゃいけない問題があっても、集団で無視して、いい人のふりをしている。どうでもいい話で盛り上がって、本質は絶対に触れないというのが日本病です。そういう人がふえちゃった。

**斉藤**　僕らの若いころはそうでもなかった。結構熱かったんですけど、徐々にそうなってきてしまいましたね。

**坂の上**　一種の拝金主義みたいなものもあるでしょうね。

**斉藤**　昔は、二大政党と言ったらおかしいけど、55年体制で、自民党対社会党みたいなところがあった。片方は労働組合というか労働者の政党で、片方は資本家というか経営者側の政党だみたいな図で、すっきりしていた。その自民党の中でも右から左まであったし、農村出身の者もいれば、いろいろな議論があった。自民党一党で、与党も野党も山ほどいて、政党が5つも6つもあるみたいなところがあったのです。労働者も、今みたいにフリーターとか非常勤の雇用を認めるような状況は全然なくて、それこそデモはメーデーも含めていつでもガンガンやっていた。

私も、学校を出て、会社に入った当時、労働組合があって、仕事が終わると職場集会みたいなのがありました。春闘の賃金要求で、年齢間差と消費者物価上昇分をクリアしないと実質賃金は維持できないんだとかいうことを初めて聞いて、「俺はやっと社会人になった」という意識がありましたけど、今の人は、実質賃金を維持するということがわからない。20歳（ハタチ）の人は、1歳年齢が上がるときに、去年21歳の人の額を確保しないと、実質賃金は取れなくて、さらにこの間に物価上昇があったら、その分を足す。去年の人が卵を20個買えたのなら、今年の人も卵を20個買うだけの賃金をもらわないとダメで、それを出せないというと、ストライキを打ったり、政治闘争をやったりする。そういういろんなことが、あの当時はありましたね。

**坂の上**　皆さんが血気盛んだったのですね。元気だった。

**斉藤**　そういう労働組合が根本的に解体されたのです。昔は総評（日本労働組合総評議会）というのがあって、10月21日にはベトナムの国際反戦デーを世界に提唱したりした。

私は農業の長男坊ですけれども、会社に入ってすぐに総評の青年部の春闘決起集会があるというので、動員されて、ジグザグデモでしがみついていた。日比谷から原宿のデモに行って、追いかけられて、逃げ回っていたのですけれども、そういう問題意識を持たせてくれる社会がありましたよ。今は全く問題意識を持たせてくれない。問題意識を持たないように、勉強しないように低レベルに、ましてや政府に向かって批判的な検証はしないように、そういう風潮なんです。我々の若いころは常に「おかしいだろう。何でだ」という話がいっぱいあった。それぞれがどこかに勤めていて、職場での話を聞いてきたとか、どこかの地域でそんな話を聞いてきたということを夜に集まっては、やりとりしていた。同じ酒を飲んだり騒いでいるにしても、今とは随分違いがある。

今の人たちは、楽しいことは楽しいんだろうけど、実質、生きるということになると、どうなのかなということはつくづく思います。僕だって、いっぱい話をしたいけど、こっちから一方的にしゃべったって、何だコノヤロウという感じでね。

## コンフォートゾーンを求める若者たち

**坂の上**　私は、地域で、若い人たち、子どもたちも主婦も議員さんも役人さんも、農家さんも漁師さんも、大学の先生も、商工会議所の中小企業の経営者たちも、神主さんも坊さんも、医師会の医者も、心ある人を全員入れて、はこぶねコミュニティー、NAUという組合とCOCONAU（https://coconau.com）のNAUで物々交換する独自経済圏のマーケットをつくりました。我が地域に未来をつくる。そのためにはどうすればいいかをみんなで真剣に議論する場所をつくろうとしたのです。なぜかというと、ドイツがそうしたのです。その結果、ドイツは、緑の党ができて、脱原発になっていったり、市民が政治を動かすようになっていった。オーガニックもそうです。

ドイツにできたのだったら、日本でもできるんじゃないかと思った。スローフードみたいな感じに聞こえますけれども、それだけじゃなくて、みんなで話ができるような、特にこれから国を背負って立つ若い人たち、子どもたちが、自分たちの国についてもうちょっと問題意識を持って、政策をみんなで一緒に考えるということをやろうとしたのです。業界ごとにみんな頑張っているけれども、その業界の人たちが会うことは、ほとんどない。一般の主婦と大学の先生が会うこともなければ、議員さんと神主さんが会うこともなければ、同じ地域にいても、医師会の医師と農家さんが会うこともない。

そういう壁を取っ払って、クロスオーバーして、はこぶねNAUコミュニティーで、我が地域にどういう未来をつくるのかを真剣に議論して、政策をみんなでつくる。エネルギー政策はこう、教育政策はこう、食料政策はこうということを、けんけんごうごうとなるかもしれないけど、それでいいものが練り上がってくるんじゃないかと思うのです。

そういうことを私も結構やってきてはいるのですけれども、ある一定以上の年齢の人しか来ない。つまり、私が本当に来てほしい、その政策を一緒に議論したいと思っている若い人たちが、あまり来ないのです。ポチポチポチとは来るのですが、もうちょっと参加してもらいたいなと思って、音楽をやったり、来やすい雰囲気もつくって、いろいろやっています。

斉藤先生も、若い世代の人たちが昔とはかなり違って熱くない、楽しい方向には流れるけれどもかんかんがくがく、この国をどうするか、こうするかという議論をあまりしなくなったと感じておられるのですね。

**斉藤**　今の若い世代は、人との摩擦を避けるみたいなところがありますね。みんなが楽しめることとか、みんなが賛成することとか、ウケがいいことは平気でやるけれども、人との間に入って調整をするとかは大嫌いですね。ややこしい話に首を突っ込まない。

**坂の上**　面倒くさいことにかかわりたくないというか、一言で言えば、事なかれ主義、私が言っているところのコンフォートゾーンってやつですね。そういう中では、本当の友達もいないんですよ。本当の恋愛もしないし、本当の人間関係がない。表面上だけ、なかよくやりましょう、ピーチクパーチク、どうでもいいことで時間を浪費していますけれども、本質的なことには触れない。楽しくないことはしない。そして、それをスピリチュアルな言葉でカバーして、神だ、天だ、宇宙だ、なんだかんだ、いろんなことを言って、とにかく現実逃避をするのが一つの流れになっている。現実逃避をするグループがコンフォートゾーンになっちゃっているみたいなところは、確かにあります。

## アグリツーリズモＮｏｒａのコンセプト

**坂の上**　先生は、イチゴ農家さんでもあられるじゃないですか。この間、私も行かせていただきましたけれども、福井県でアグリツーリズモＮｏｒａを運営されている。
入りますと、ヤギもいて、最近、ラマが入ったそうですけれども、チャボみたいなのもいて、鶏もいる。池にはアヒルとかカモが泳いでいて、レストランもあって、スイーツの売店もあって、宿泊もできる。陶板浴ができるところもあったりして、複合施設みたいな感じですが、あのコンセプトを聞かせていただけますか。アグリツーリズモＮｏｒａは、何かの理想郷を目指してつくられたのですか。

**斉藤**　地域農業の存在を見せようと思って議員になったのですけれども、今までは一戸一戸の農家が作物をつくっていた。ただ、後継者がいなかったり、生産者が病気になったりしたら、それで終わってしまう。だから、ゾーニングして、例えば統一の有機肥料をつくって、その有機肥料でつくった農産物をブランド商品として売ろうという地域の構想をいっぱい書いたのです。知恵を絞って、大きなところから自分の村の中長期ビジョンまで書いたんですけど、結局「誰がするの？」という話になると、話が進まない。みんな普通の農家で、おカネを持っているとか、資本力があるとか、商売にたけているとか、自信のある人なんていないのです。

**坂の上**　ああ、身につまされます。はこぶねコミュニティーも同じところに面していますから。

**斉藤**　「おまえが自治体から補助金をもらってきて、ほとんど手持ちなしでやれることを何か考えろ」とか、究極のところ、そんな話になってしまうのです。結果的には強引にやらなくてよかったなと思っていますけれども、そもそも経営できる人がなかなかいないのです。

**坂の上**　そこですよね。例えば地域でコミュニティー社会をつくろうとか、いろんな理念は先生もあるし、私もあるのですが、それを本当に具現化しようとしたら、やっぱりただの「いい人」じゃダメなんです。経営能力がなきゃダメだし、能力と人格も高くなきゃいけない。人望もなきゃいけない。多くの人をまとめていかなきゃいけない。つまり、50人ぐらいの中小企業の社長レベルの器じゃないとできないことがわかったのです。だから、はこぶねコミュニティーでも、リーダーの選出、育成、教育からやらないといけない、単に、いい人だから、坂の上零についてきてくれるからだけじゃダメだということがわかりました。でも、これはつらいですよね。

**斉藤**　アグリツーリズモＮｏｒａは当初、駅前の自分の事務所の家賃が非常に高いので、バカバカしいと思って、トラクターが入っていた自分のところの農作業小屋を改装した。自分の事務所とレストランと宿泊所につくり変えたのがきっかけで、ぼちぼちと周りに木を植えたり、池をつくったりした。鶏を飼って卵をることと、ヤギを飼ってミルクをつくるという、昔の人がやっていた自給自足を、道楽みたいな部分も含めてちょっとやってみようと。百姓に生まれて、ヤギも飼ったことがない、鶏も飼ったことがないというのでは、何か足らないような気がしてね。それでやり始めたのが、遺伝子組み換えトウモロコシを使わない平飼いの鶏の卵です。

**坂の上**　ＣＯＣＯＮＡＵでも、ＮＡＵ ＭＡＲＫＥＴ（https://naumarket.com）でも売らせていただいています。ぜひ買ってください。すばらしい卵です。ＮＯＲＡたまご。

**斉藤**　自分でやるのはスムーズにいくんですよ。銀行でカネを借りて、自分の思いどおりになる。誰にも相談しなくていいし、思いつきのままで、手っ取り早かったですね。友達に造園屋が一人いて、「カネがないんだろう」と言って、親方が自分でショベルを持ってきて、池をつくってくれたりした。設計図は何もないんですよ。勝手に掘って、山に生えているような木を植えてくれた。高価な木は一つもないんです。

8年、10年近く前になるのですかね、「グリーンツーリズム」という言葉があったのです。都市と農村の交流というか、自分の離れとか小屋を改造した農家民宿みたいなところで農業体験をする。「グリーンツーリズム」はアメリカの言葉ですが、イタリアのスローフード運動で、アグリカルチャー（農業）とツーリズム（旅行）の合成語に「アグリツーリズモ」という言葉があるのです。アグリツーリズモ法という法律までできていて、週末には都市から農村に来て、週末を過ごそうみたいな感じで、イタリアのお城みたいなところを開放したり、地元のワインとかハムを提供している。雰囲気が、農家民宿よりも格好いいイメージだったので、「アグリツーリズモＮｏｒａ」としました。Ｎｏｒａの語源は「野良」です。格好つけて、イタリア語っぽくした。今でも「アグリツーリズモ」で検索すると、うちの福井県のアグリツーリズモＮｏｒａはかなり上位で出てくるのではないかな。

自分の地域に、将来に向けて何かを残そうという思いがあった。自分の地域に来てもらっても、広大な農地があるだけでお茶を飲む場所もなければ食事をする場所もない。それではやっぱりいかんだろうということで、食事もできて、人が視察に来たときに寄ってお茶も飲めて、会合も開けるみたいな場所にしたかったのです。

**坂の上**　人が集まれる場所ですね。しかも、すばらしいグランドピアノが置いてあります。

**斉藤**　この間、アルパカをちょっと入れたのです。

**坂の上**　ラマじゃなかったですね。すみません、言い間違えました（笑）。

**斉藤**　個人の農家だけでは衰退していくしかない。今、農業をやっている人たちの子どもが農業をしているかといったら、していないのです。ましてや大規模農業とか国が「儲かる農業」なんていうのを提唱するもんですから、どうやったら儲かるか、儲からなかったら農業しないみたいな方向になっている。昔は、自分の家が農家をしていたら土日は必ず手伝っていた。いつ会社をやめても農業ができる体制がありましたけど、今の若い人は、親が亡くなったとか、会社が倒産したから俺は百姓でもしようとはならない。百姓ができない。

**坂の上**　したい人はいっぱいいるんだけど、なかなか土地がない。ノウハウがない。どうやってやればいいかわからない。だから、COCONAUと、業務用オーガニックNAU MARKETは、自然循環の無農薬農業のノウハウや、収量を落とさずに自然循環農業で利益を出せる仕組みをフルパッケージでご提供しています。業務用オーガニックNAU MARKETでは「仕入業者とのビジネスマッチング」も提供しています。そういう橋渡しみたいなことをしたいなと思ってやっています。そういったところがあれば、生きるのではないですか。若い人々の就農も進むと思いますし、無農薬、無化学肥料、除草剤なし、種の消毒もなしで、在来種であっても、業務用オーガニックNAU MARKET（https://naumarket.com）なら、生産したら売る先があります。仕入れ業者やNAU CAFEにも卸し売りを定期的にできますので、ちゃんとオーガニックNAU農家として生計を立てていくことができるビジネスモデルにつくりこんでいます。

**斉藤**　そういう、自分の地域の将来も含めて残していけるものにしたい。先ほども言ったように、日本の国の種が奪われてしまうようなことだってあるわけだから、種も今から取っておいて、いつでも自給自足できるものをつくって、残していけたらなと思っています。

## NAUはこぶねコミュニティーの基本理念

**坂の上**　私も全く同じ考えです。日本の種が今、なくなっている状態です。外食のものや我々が毎日食べるもの、スーパーで買うもののほとんどが日本の種ではなくなっています。こういう現状を見ると、本当に種を守らなきゃいけないなと思います。

そして、農業は、農業だけじゃなくて、その地域の、例えばお祭りとか風習とか伝統とか、日本人の暮らし方、生き方、価値観、考え方、あるいは神社とか寺とか、こういったものと切っても切れない関係なんです。私も、医食同源NAUコミュニティー、はこぶね組合をやりながらわかったのですけれども、種を守ろうと思うなら、その地域社会を丸ごと守っていかないといけない。

種は、栽培してくれる人たちがいるのですが、今、その栽培してくれる人たちがいない。在来種とか固定種は、畑の回転が悪くなるし、種取りに手間がかかる。農協さんから遺伝子組み換えの種を買ったほうが安いし、簡単だし、規格どおりのちゃんとしたものができる。規格どおりでないと買い取ってくれなかったりする現実があったりもします。そういった中で、たとえちょっと曲がっていても、たとえちょっと虫が食っていても、たとえふぞろいでもいいという、別の価値観があってもいいじゃないですか。農薬を使っていない、除草剤を使っていない、化学肥料を使っていないものは高級品だと私は思うんです。そういう農家さんをふやしていって、一緒に種を取っていく。

ただ、それを農家さんたちだけがやっていたら、忙しくて死んでしまいます。だから、地域にはこぶねＮＡＵコミュニティーをつくって、農家さんが忙しいときに、にわかに手伝いをする。手伝ったから幾らくれとかいう話ではなくて、やってあげるかわりに、安く買わせてもらう。アグリツーリズモＮｏｒａさんのような地域の絆というかコミュニティーをつくって、みんなで自給自足をしていくんだという拠点をつくっていけないかなと考えています。

ただし、壁がとても高いです。なぜなら、さっきも言ったように、地域のトップでコミュニティーのリーダーに据えられる人がいない。私が各地域を講演で回っているのは、ただ講演したいだけではなくて、その地域でリーダー格になってくれて、ミニ坂の上零になってくれて、その地域で立派なコミュニティーをつくっていってくれるリーダー候補の方に会うためです。そういう人たちと出会って、その人たちに託していきたいと思っているのです。

そして、その地域を、もしものときにも自給自足ができるようにしたい。衰退しつつある日本に、美しかった日本社会を再現したい。私たちの子どもたちがちゃんとしたものを食べられて、幸せに暮らせるような、最低限の社会のシステムを残して、私は死にたいなと思っているのです。

それはたった一人の人から始まります。何でもそうです。私にはワーッと人が集まります。しかし、本当に、死ぬ気で、熱意を持ってやってくれるたった一人の人になかなか出会えません。経営者としてガーッとやれる力量と人望と、何よりも熱意があって、そしてその地域を本当に愛している人はなかなかいない。やっぱり自分の生活が一番になっちゃうのです。そういうこともあって、今は人材育成からだなと思っているところです。

しかし、こうして、斉藤新緑先生には、坂の上零のホンモノ発見シリーズにご登場いただきました。斉藤先生は、私もですけど、この衰退していく日本に絶望していらっしゃいます。絶望していらっしゃいますけれども、それは現実を正しく認識しているからなんですね。正しく認識できていないと、ウソ八百、スピリチュアルなことを言うわけです。「キャー、みんなで楽しくやりましょう。光の世界に行くのよ」ということにはならない。光の世界に行くためには、地上天国をつくるためには、まず私たち個人個人の人格がよくならないといけない。

楽しいことしかしないとか、自分の興味のあることしかしないではなく、この国のことを本気で憂えて、この国を自分たちの子孫、自分たちの子どもたちに残すために、身を粉にして働く。そのためには、見たくない現実も見なきゃいけない。楽しいことだけしているわけにはいかない。楽しいことだけやりましょう、宇宙のことを語りましょうといっても、私たちは地球に住んでいるわけですから、まずは地球です。そして、私たちの子どもたちが、ちゃんとこの地域で、この日本で暮らしていけるようにしていくのが、私たちの責任だし、それが本当の政治です。

しかし、本当の政治をやろうとすると、先ほど斉藤先生もおっしゃいましたけれども、多数決で勝てる会派が強いに決まっている。正論を言う人は少数派です。私も、随分と悲しい思いをしました。どれだけ訴えても、どれだけ頑張っても届かない。そうなると、だんだん折れてくるし、ひねくれてくるわけです。

そして、政治では無理だと思ったから、私ははこぶねコミュニティーをつくろうという結論に至った。要は理想郷、つくりたい社会を各地域でつくる。そして、斉藤先生のような方に中心に立っていただく。斉藤先生は、アグリツーリズモＮｏｒａで、ＮＡＵはこぶねコミュニティーがしたいなと思うことを既にやっておられます。自給自足、共存共栄、相互互助、そして、地域に地上天国のような人の輪をつくって、子どもたちが希望を持てる社会をつくりたい。みんなで助け合って、最低限、食べものはあるようにしたい。

政策も、誰かが勝手に決めるんじゃなくて、自分たちで、みんなで一緒に、輪になって話したらいい。誰かの利権を持ってくるとかではなくて、その地域の子どもたちが、そこで本当に未来が明るくなるような政策をみんなで考えたらいいのではないか。そういう場をつくりたいと思っているのです。

でも、斉藤先生は、既にそういう拠点になり得るところをつくっておられます。機会があったら、福井県のアグリツーリズモＮｏｒａをぜひ訪ねてみてください。本当にすてきなところで、特に東京から行くと、天国に見えます。広大な農地の中にポツンとあるという感じですけど、逆にそこに地域の方々が集まって、いろいろな情報を得る拠点になっている。拠点づくりはやっぱり大事だなと思います。

ＮＡＵコミュニティーも、ＮＡＵビレッジも、５つの自立を目指して、５次元に、愛と感謝と共存共栄する世界を創っていきたいと、０から各地にＮＡＵコミュニティーを創って頑張っています。

# Part 7

# 世界秩序《ニューワールドオーダー》という既定路線は日本を地獄へと突き落とすだろう

## AIの進展で、人間はコンピューターに支配される

**坂の上**　これから私たちが向かっていく先には何があるのか。これからの日本、そしてこの世界全体は、どんな社会になっていこうとしているのか、先生と議論してみたいと思います。

冒頭、アフター・コロナの世界が、ファシズム的な、言論統制された管理社会になっていくのではないかという話をしましたけれども、これから日本は、そして世界全体は、どんな状態になっていくと先生はお考えですか。

**斉藤**　今の全体の気配を見ていれば、コンピューターに管理される人間社会みた

いなことになるのではないですかね。

**坂の上**　人間がＡＩに支配される、管理されるような社会になってしまうということですね。つまり、人間がコンピューターを管理するのではなくて、コンピューターが人間を管理する。人間が一つの部品のような、ロボット的な感じになってしまうのでしょうか。

**斉藤**　５Ｇ（５世代）の携帯についての安全性が確認されないということで、ベルギーは国自体がまだ認めていないのですけれども、日本は、さっさと始まっています。電磁波の問題ももちろんあるのですけれども、ＩｏＴと絡まって、どんどん進んでいくのでしょうね。全部インターネットにつながって、モノが人間を監視する社会が到来する。新世界秩序（ニューワールドオーダー）と言われてきたことが進んで、結果的にはこのインターネットをはじめとするコンピューター管理で世界を支配する。世界を一つに束ねていくような方向になるのだろうなと思います。

**坂の上**　それは私も全く同じ意見です。政府機能でさえもＡＩ化されてくる。つまり、ＡＩが政府になる。ＡＩが「善い人」「悪い人」を判断し、評価する。採用すべきか、すべきではないか、この仕事につけるべきかどうか、結婚すべきかどうかまで、なんとＡＩが判断したり、評価を下す社会になるのではないか。その傾向は、アメリカとかヨーロッパではもう結構見られます。

ある弁護士事務所では、弁護士さんの仕事、過去の事例やら何やらはほとんどＡＩがやっている。ＡＩは、ブルーカラーの労働者の仕事を奪うだけじゃなくて、ホワイトカラーの労働者の仕事も奪うのです。つまり、弁護士さんとか会計士さん、税理士さん、医者、政治家、こういった人たちの仕事もＡＩは奪います。また、誰がどこにいてというのもコンピューターでわかるようになってくれば、警察の仕事をはじめ、いろいろなことをコンピューターがするようになるでしょう。

アメリカの弁護士事務所では、ＡＩが実際に働いています。じゃ、弁護士は何をしているのかというと、ＡＩが、こういう戦略でいきましょうということに過去の事例をひっつけたものを、法廷に持っていく。人間でないとできないこともあるのですが、コアなところはＡＩが書

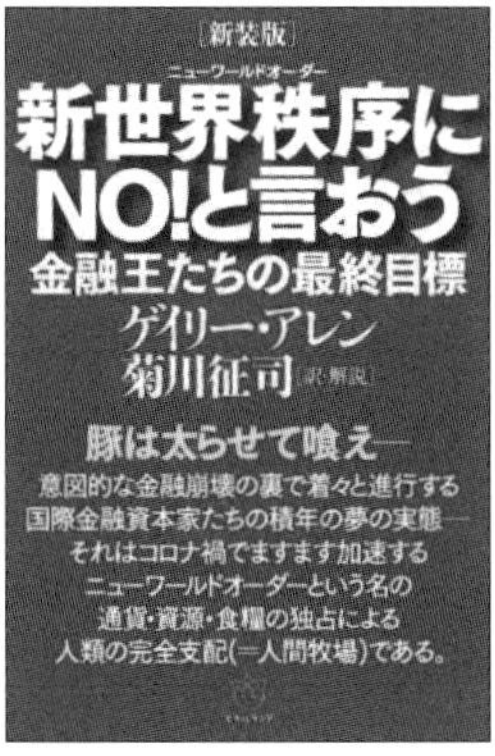
［新装版］
新世界秩序《ニューワールドオーダー》にNO!と言おう
金融王たちの最終目標
ゲイリー・アレン
菊川征司［訳・解説］
豚は太らせて喰え――
意図的な金融崩壊の裏で着々と進行する
国際金融資本家たちの積年の夢の実態――
それはコロナ禍でますます加速する
ニューワールドオーダーという名の
通貨・資源・食糧の独占による
人類の完全支配(＝人間牧場)である。

いている。最近は論文までそうなっている。今までは自分たちで苦労して考えて、練り上げて論文にしたのですが、今は、いろいろな人の論文をＡＩが勝手にパクッてきて、似せつつちょっと変わったものを出してくる。だから、研究者でさえも、あまり深く考えないということが既に起きてきています。

じゃ、医療現場はどうかというと、とっくにＡＩです。生身のお医者さんだと、結構医療ミスとか診断ミスとかをしてしまったりしますけれども、ＡＩなら見逃しはない。しかも、お医者さんみたいに高い給料を払わなくても、24時間文句を言わず働いてくれる。最近は、ＡＩが診断して、病名が決まったら、どのお薬を出すか、どういう検査をするか、どういう手術をやるかまで全部バーッと出てくるというコンピューターソフトウエアができています。医者は、それを忠実にやるだけという感じになっている。

もちろん、人間じゃなきゃわからないこともあるんですけれども、ＡＩはあらゆるところで仕事を取ってかわるようになると思います。人間は、手を使うもの、例えばピアノを弾くとか、髪を切るとか、農業でイチゴをつくるといったことをする。しかし、手を使わない、過去のデータを重視した仕事は、ＡＩが十分取ってかわる社会になることは間違いない。そして、先ほど斉藤先生もおっしゃいましたけれども、あらゆるものにチップを埋め込まれる可能性があります。例えば、おカネもそうです。あらゆるところから、あらゆる情報がインターネットにいく。

今までは、こういうインターネットのバーチャルな世界と、私たちのこのリアルな世界がきっぱり分かれていて、私たちがインターネットにコネクトして、何かのサイトにログインして初めてそこでネットに加わるのですけれども、これからは、全てがＩＴの中に、バーチャルなインターネットの世界の中に、現実のリアル社会がすっぽり入る感じになるのかなと思います。

全てがＩＴ化していくというのは、効率的にはいいのかもしれないけれども、たくさんの人の仕事を奪いますし、私たちは四六時中コンピューターに監視され、管理されるようになる。就職しても、例えば昇進させるとかいったことも全部、悲しいかな、コンピューターが決めたとおりにやるようになる。

中国では、例えば信用ランキングなるものが既にあるそうです。このランキング以上の人とおつき合いしようとか、雇おうということになったら、犯罪も犯していない、すばらしい人かもしれないのに、ＡＩが信用ランキングを低くつけたために、寂しい思い、不条理な思いをする人が出てくることもあり得る。そういう血の通っていないものに、血の通った人間が支配される世の中になってくる。これは、人間が奴隷にされたも同然だと思います。

そして、東京都知事選が終わりました。また小池百合子さんが圧勝しました。圧勝したんですよ。ほかの候補を全部足しても、小池百合子さんの票の半分にもいかなかったということに私は愕然としました。小池百合子さんは、金融マフィア、グローバル企業の金融エリートの方々の代弁者だと思ったらよろしいかと思います。

カナダでは拒否されたスーパーシティー法案が、日本で決まってしまいましたので、これからは移民がどんどん入ってきます。そして、日本人の給料をどんどん下げる。ＡＩで仕事がどんどんなくなっていき、さらに移民が日本人の仕事を奪うようになったら、東京は地獄化すると思うんです。貧富の差がますます激しくなってくる。しかも、コンピューターに管理され、ＡＩに評価され、出世や昇進の仕組みやシステムまでもＡＩが管理するようになる。

そこでチップという話が出るわけです。この人がどこにいて、何をして、どこに幾ら持っていて、この人を抹殺するならこうするだけでいいというのを把握するには、人体にチップを入れて、コンピューターで管理する。

そして、5Gが始まりました。あちこちに5Gの電波塔が建ちます。5Gはものすごく大量のデータを飛ばしますから、普通の電線ではダメなんですね。なので、100～200メートル置きに電波塔みたいなものを立てる。信号機みたいになっちゃうわけです。そこから強力な電磁波がブワーッと出る。そして、もし人体にチップが入っていれば、例えば坂の上零がどこにいて、何をして、誰といて、何を食べたか、何歩歩いたか、血圧はどれだけか、怒っているのかいないのかまでわかる。そんな社会が待っている。

こういうことを、ある方々は新世界秩序（ニューワールドオーダー）としてつくることを随分前から計画していました。彼らは特に聖書の最後のヨハネの黙示録に基づいて行動しているので、聖書がわかっていないとちょっとどうしようもないのですが、我々の子どもたちは、完全な暗黒社会、管理社会に生きていくことになろうとしています。若者たち、小さな子どもたちが成長する先には、そういう社会が開けている。とめられないとはいえ、我々に何かできることはないのかといつも思うんですね。子どもたちをどうやって守るか、先生のお考えをお聞かせいただけないでしょうか。

**斉藤**　こんな話をすると、みんな言うんです。「どうしたらいいんだ。何ができるの。どうにもならないじゃない」と。

**坂の上**　結論から言えば、そうですね。

**斉藤**　最先端で戦う人たちが法案を通していくわけだから、どうにもならないと言えばどうにもならない。それが世界的に、濃淡はあれ、そういう方向になっているというのは事実でしょうね。

少なくともそういう時代が来るという認識をすることは必要だろうけれども、日本という国は、神様、仏様の世界で、旧約聖書とか新約聖書という話は全く関係ない感じがある。ましてや、キリスト対反キリスト、神対悪魔みたいなことは何もわからないから、「悪魔みたいな人がいるわけがない」みたいな前提に立ったり、国会議員は国民国家のために命を投げ出すのが仕事じゃないかと思っていたりする。あるいはテレビとか新聞は正しいことを伝えていると思い込んでいる人がかなりいるわけです。

**坂の上**　医者の言うことは聞くべきだとかね。

**斉藤**　だから、非常に真面目と言えば真面目なんだけれども、心理作戦で上手にマインドコントロールされているようなところがありますね。

先ほどから言っているように、問題意識を持たせないような生き方を選択させられている。私はテレビを1秒も見ないけれども、有料チャンネルを含めたネット情報を見ていると、日本の中ではそういう情報が全く与えられていない。

**坂の上**　教育もされませんね。

**斉藤**　物事の批判的検証能力というのでしょうかね、これは本当なんだろうかと疑って考えるということを学んでいない。何からすればいいのかとか、若者に何と言ったらいいのかということには、「テレビとか新聞とかだけの情報ではなく、もっと真面目に情報をとれよ」と。学校の教科書が伝えているのは、勝利者の都合のいい歴史です。

**坂の上**　ヒズ・ストーリーですね。His story. 彼（支配者）の物語が歴史です。

**斉藤**　文字どおり、何年に何があったというトピックスが書いてあるのを覚えさせられているだけで、それはどういうことだったのかということを分析していな

斉藤　物事の批判的検証能力というのでしょうかね、これは本当なんだろうかと疑って考えるということを学んでいない。
「テレビとか新聞とかだけの情報ではなく、もっと真面目に情報をとれよ」と。学校の教科書が伝えているのは、勝利者の都合のいい歴史です。

い。

私は、学校で習ったことではなくて、自分が社会に出てから本を読んだりして、知ったことがほとんどです。そういう感覚が身につかない限りは、この世に生まれてきても、電源のプラグをつけられた映画「マトリックス」みたいに、真実とは全く別の世界を見せられて、それをただ信じて、見終われば死んでいくという感じなんだろうなと思います。

人の営みというか歴史が、企みの中で計画的に仕組まれている。明治維新もあれば、日清・日露の戦争もあれば、真珠湾に突っ込んだという意図的なものが、全部に脈々とつながっている。そこを先ほどの、風邪を引いたら医者に行くということしか思っていないで生きているレベルから、もう一回考えるということをしないといけないということで、私は気が遠くなるような思いをして、自分の議会報告では相当のことに踏み込んで書いています。みんな読んでくれているのか、飛躍し過ぎたオッサンだなと思っているかどうかは知らないけれども、そういうものでしか、情報というのは出てこない。

**坂の上**　普通に暮らしていたら、真実を知ることがないですからね。どこも教え

斉藤　そういう感覚が身につかない限りは、この世に生まれてきても、電源のプラグをつけられた映画「マトリックス」みたいに、真実とは全く別の世界を見せられて、それをただ信じて、見終われば死んでいくという感じなんだろうなと思います。

てくれないので、自分でとりに行くしかない。しかし、本はいろいろ出ています。今は本を読まないというのもあるんですけれども、本を読んでいただきたい。

私たちの本をひとくくりに陰謀論と言われたくないのですけれども、私たちがこういうことに目覚めて言い始めたころというのは、二十何年前で、私も若かったし、アメリカ人は何も知らなかった。日本人も何も知らなかった。本当に孤独でした。太田龍先生とか広瀬隆先生ぐらいしかいない、そのころから私の主張は一貫して変わっていません。日本政府が食に毒を盛る。世界の政府がチップを人体に入れて、私たちを殺すよみたいなことは言っていたのです。しかし、誰も真剣に聞いてくれなかった。ようやく最近聞いてくれるようになった。だから、私は変人歴が長いのです。私は変人だとは思っていないけど、勝手に変人のレッテル貼りをされてきたわけです。

今までだったら、それで済んだかもしれないけれども、例えば『天使になった大統領』という、20年ぐらい前に書かれた小説にあることは、実際に20年間の間に起きてきているわけじゃないですか。今、そのクライマックスである人体にチップを入れるというところまで来ています。そのために、コロナだって、電子マネーだって、インターネットだって、何だってあるわけです。全部、そこの一点に集中していくわけです。だからワクチンがダメだと言っているのです。ワクチンの中に、全部とは言いませんけれども、マイクロチップを入れられている可能性が高い。

今までこういったことを言う人は、白い目で見られてきた。斉藤先生みたいな勇気がある人ばかりではなくて、陰でコソコソお話ししなきゃいけなかった。しかし、最近、陰謀論で言っていたことが実際に起こっていることがわかってきた。事実、彼らは法案をつくって、ワクチンを義務化しようとしている。この期に及んで陰謀論もクソもないわけです。逆に、本当のことをちゃんと知っていただか

天使になった大統領（トランプ登場の予言となるか!?）

ないと、自分の命も守れなくなるんじゃないかと危惧しています。その人が勝手に死ぬぶんにはいいけど、その人が父親なり母親だった場合、自分で自分の人生を選べない小さな子どもたちは、そのお父さんとお母さんがこういった内容のことを知らないがために、何の悪意もなくワクチンを打たれたりするかもしれない。そういったことはやめてもらいたいと心から思います。

あと、コロナのことを怖がるんだったら、食品添加物や、毎日どんなものを食べているかを怖がったほうがいい。それのほうがよっぽど重要です。オーガニックのものを選び、若干高くてもオーガニックのものを買うようにすれば、オーガニックの農家さんもふえていきますし、オーガニックの大地もふえていきます。こういった活動は、地道ですけれども、やっていくしかないのかなと思っています。

## 賢いアリも、悪いリーダーについていったら死んでしまう

**坂の上**　こういった中で、日本だけでなく、世界全体が暗黒監視社会、そして、

滝壺に向かってダーッと落ちていこうとしているように感じます。特に日本の状況は、アリの集団自殺と言ってもいいかな。

アリって、頭のいい昆虫じゃないですか。兵隊のアリがいて、女王のアリもいて、いろんなアリさんがいて、集団化している。複雑な巣を大地の中につくって、子育て部や餌取り部があって、秩序立てて営まれている。一つの社会ができていて、誰が教えるでなく、ちゃんと統制がとれている。人間よりも、ある意味、偉いなと思っているぐらいです。人間はブーブー、ブーブー、わけのわからないことを言うじゃないですか。アリはそんなことはない。

そんな賢いアリも、変なリーダーがついていってしまうと、間違った方向に行ってしまう。そして、グルグル同じ場所を死ぬまでずっと回り続ける。アリというのは、羊もそうですけど、前を行くものについていく習性があるらしくて、みんなが回っているから正しいんだろうと思って、みんなが行くところを行く。だから、一番最初にいる軍隊アリみたいなのが間違うと、同じところをグルグル、グルグル、集団で回っているだけになるんですって。そのまま5日ぐらい回り続けて、全員死んじゃうらしいです。そこからあふれ出たアリだけしか生き残れないのです。

では、何で賢いアリが、バカで邪悪なリーダーがつくと、こんな愚かなことをしてしまうのか。そして、自分たちが死に向かっているということに気がつかないのか。それと同じような状況が、今の日本社会全体にも見られるのではないかなと思います。世界中で見られるのですが、特に日本に見られる。だから、ぜひ真実を知っていただきたい。

じゃ、知ったらどうするか。知って、私たちは絶望するしかないのか。それでは知らなかったほうがよかったですねという話になります。知ってから、じゃ、どうするのかというところのヒントに、先生がつくってこられた自給自足の、都市と農村が融合したような一つのモデル地区があります。多くの人たちが集まって、小さなコミュニティーをつくっていけるような拠点、アグリツーリズモＮｏｒａさんがやっていること、スローフードの感じがするところに、一つの答えがあるのかなと思っています。

**斉藤**　退行文化になったとしても、これから進んでいく大枠を変えていくものではないと言ったら悪いけど、自分ができることをやっていくだけの話です。

さっき言ったコンビニの弁当とか加工品や、ファストフードに対するスローフ

坂の上　じゃ、知ったらどうするか。知って、私たちは絶望するしかないのか。それでは知らなかったほうがよかったですねという話になります。知ってから、じゃ、どうするのかというところのヒントに、先生がつくってこられた自給自足の、都市と農村が融合したような一つのモデル地区があります。

ードの価値をきっちり見詰めていく。生き方を選択するということです。将来は、選択そのものができなくなる可能性が十分ある。だけど、そういう社会になってしまったらしまったで、そういう中で生きていくしかないんだろうなとも思う。

**坂の上**　逆に、そういう社会しか知らないというのは、かわいそうですよ。

**斉藤**　まあそれはそうなんだけど、今は、どこをどうわめいてみても、世の中はそういう方向になっているということだけは皆、気がつかないといけないのに、気がついていない、今でもお花畑みたいな人がいっぱいいる。自分たちが見ざる・聞かざる・言わざるみたいな格好で、余計なことにかかわりたくないみたいな生き方を選択している限りは、そのまま丸のみされるし、みんなが小さな勇気を出し合うようなことがなければ、できないだろう。

先ほどのアリの話をすれば、勇敢なアリの群れは、川の前に来たときに、川の向こう側へ飛びつくんだって。何匹も何匹もアリが川に流されていくんだけど、1匹が向こう岸につくと、その足にもう1匹がついて、やがてアリの橋ができる。アリの隊列がみんなその橋を渡るんだって。

**坂の上**　アリは弱さゆえに、頭いいじゃないですか。

**斉藤**　でも、渡った後、橋になっていたやつは全員死んでいる。勇気というのはそういうものです。

**坂の上**　最初に犠牲になる精神ですね。キリストの精神ですね。

自分が犠牲になっても、次の世代に希望ある未来を残していこう、その礎となろうとする高貴な心です。

その高貴さが私や先生、一人一人にあるか否か、そこを天に試験されているように感じます。

# Part 8
# この思いっきり壊れて、狂った世界を生きる者たちへ

## メディアのあおりに乗るな

**斉藤**　チャップリンでしたっけ、「勇気を失うことは全てを失うことだ」と言ったのは。今の時代の子どもたちにも、そういう勇気がつくられていけば、もっと変わっていくんだろうけれども、都合の悪い話は表には出てこないし、テレビとか新聞を見ていたって、専門家でも何でも、昔から都合のいいものしか出てこない。メディアの質も、心理作戦としてマインドコントロールするものに変わってしまっている。戦争中も、大政翼賛会なんか、みんな新聞があおって、戦争に行け行け、何だ弱腰という感じでつくられてきた。今回だって、危ない危ないと言

って、みんなが恐怖に駆られて、自分の権限も全て国任せで、国の言うとおりに従っている。「マスクは外そう」とか「いつまでやっているんだ」とか「布マスクなんか、ウイルスを100%スカスカ通すじゃないか」ということを何でもっと言わないのかなと思うね。

**坂の上**　言っている人はいるけど、ごく一部の言論人だけですね。

**斉藤**　こんなことは今に始まった話ではない。マスクというのは、自分が風邪を引いて、人に咳を飛ばしたりしてはいけないというエチケットのようなものであって、マスクをしているからウイルスの防衛策になるなんて誰も言っていない。医学的根拠は全くないと言っていたし、WHOだって、今回のウイルスが始まったころには、マスクなんて何のコロナ対策にもならないと言っていた。

**坂の上**　私は、新宿なんかを、たくさんの人がマスクをしてブワーッと歩いているのが、ゾンビの群れに見えてしょうがないんです。怖いですよ、本当に。こんな言い方すると、語弊があるかもしれませんけど、世にも不思議な世界の中にポーンと毎日いる感じがします。学校では子どもたちにマスクを強制して、より不健康にさせている。脳に酸素が足りないから、学力も落ちるし、大人が子どもの人権を侵害しているとしか見えない。おかしいとわかっていても、医学的に何の根拠もなくても、学校や飛行機、オフィスなど、マスクを義務づけられていて、かわいそうだ。

**斉藤**　コロナというウイルスがどういうレベルの話なのかですよ。今度のコロナは新型と言うけれども、7種類目のコロナだから。コロナというのはもともと風邪の菌なんだ。風邪の菌で4種類目で、その後、SARSとかMERSとかがあって、7種類目になるのかな。今回「新型コロナ」という名前ではなくて、「今度のはちょっと強力なインフルエンザだ」と言っていたら、こんなふうにはなっていないと思うよ。「今年のインフルエンザは、抵抗力の弱い人が肺炎になって死ぬ」というぐらいのものだ。

現実に、いつも1万人とか死んでいるインフルエンザが、今年はコロナとインフルエンザを合わせて5000人に減ったのです。コロナウイルスで、インフルエンザで死ぬ数が減った。おめでたいと言ったらおかしいけど、そういう状況が生まれているというアナウンスは一つもない。あるいは、インフルエンザの感染者数は何人でしたというのは、今まで一回もない。データにないから、感染者なんか調べようがない。今までは、インフルエンザの患者数なんです。病院に行って、「インフルエンザ」と言われた人がインフルエンザの感染者、患者数であって、今回は発病もしない人まで感染しているという数字を出しているわけでしょう。感染者数と患者数は全然違うじゃないですか。そういうことも含めて誰も言わないし、むしろ大げさにしゃべる人ばかり出てくる。それでテレビ疲れだよね。自粛で何をしているかといったら、朝から晩までそのテレビを見ているわけ。

**坂の上**　それは洗脳もされますわね。コロナ以前から、貧しい層、B層、お年寄りがテレビをよく見ている層ですから、なおさら、B層がドB層にされてしまうわけです。ちなみに私はテレビを見ません。だから、私にはコロナは存在してません。私は何も変わっていませんが、コロナの前と後では、世の中と周りの人々が一方的に変わってしまいました。テレビの洗脳の力、おそるべし。

**斉藤**　それで自分は身を引き締めて、抵抗力を落としている。そんなもん、太陽光線に当たってビタミンDをとるんだと言って元気に歩いていたほうがよっぽどいい。

**坂の上**　ホント、そうですよ。しかも、子どもたちにそれを強要している。私はかわいそうでならない。体が発育していく大事なときに家に閉じ込めて外で遊ばせない。お友達とハグしたりすることは禁止。給食はみんなで前を向いて食べる。刑務所かと言うんですよ。誰とも顔を合わせないようにする。極めつけがシールドですよ。

**斉藤**　役所とか公的なところは、自分に批判が来ないように最大限の保険をかけるのです。「マスクをしてください」というのだって、学校の子どもが自転車通学するのに、みんなあの汚いマスクを毎日している。どっちが体にいいのか。何を考えているんだという話ですよ。外で自転車をこぐのに、なぜマスクをしないといけないのか。それでも学校の先生は「ちゃんとしなさい」ということしか言えないんでしょうね。それが跳ね返ってくると困るから。それも一つの勇気です。

私が知事だったらそうやったかどうかわからないですよ。「免疫をつくるので、若い人こそかかりましょう」なんてやったら、どんな非難を浴びたかは知らないけれども、安倍首相が、学校は全国的にとめるんだと言ったら、一人も感染者がいない岩手県が「うちはそんなことはしないよ」と言っても全然おかしくない。福井県だって、東京の真ん中の都会ではないし、田舎の空気のいいところだし、普通のインフルエンザだったらクラスで10人か15人くらいかからなければ閉鎖はしないのに、何で今回は全国一律でこんなことをやるのか。「私のところはやりません」と言うところがあってもおかしくないのに、地方自治体が国からカネをもらったりということがある。

**坂の上**　言ってもらいたかったな（笑）。こういうのって、結局、力関係とかおカネとか暗黙の圧力といったもので同調させられるところがあるんですね。日本人はそういうのに弱い性質を昔から持っています。

## 自粛は問題解決を遅らせる

**斉藤**　私が自粛中にカラオケを歌っていたら、うちの女房は、誰かに「なんだ、自粛しているのにカラオケを歌って」と叱られたようです。戦争中、洞穴に入って、敵に見つからないように息を殺しているときなら叱られても仕方ないけど、コロナの菌で事務所で自粛してカラオケを歌って何が悪いんだ。イタリアの人間なんかみんな歌を歌いながら助け合っていたじゃない。

**坂の上**　外で歌っていましたからね（笑）。

**斉藤**　だから、自粛とかなんとか、みんなもうむちゃくちゃなんだ。

**坂の上**　そういう人たちがいることによって、逆に多くの会社やお店やレストランが倒産したり、大変な借金を抱えたりしているわけだから、全く無意味なことをこれだけ一生懸命やっているというのは哀れだなと思いますね。しかし、そうは言ってもしようがない。こういう社会になっちゃっているから。

**斉藤**　自粛は、解決を遅らせる。だから、閉じ込めるのではなく、みんなが早く感染しないとダメなんだ。元気な人、若い人は特に。

**坂の上**　それだけのことですよね。集団免疫をつけたらよいだけ。

**斉藤**　ほとんど発病しないようなものなんだから。

**坂の上**　コロナが怖いからとワクチンに走るよりは、オーガニックのちゃんとした無農薬、無化学肥料、除草剤なしのものを買い、食べるようにしましょう。

**斉藤**　あるコンパニオンさんの話です。ガスメーターをはかりに来る人が、全然ガスメーターが動いていないので、この家は誰もいないのかと思ったら、玄関で鉢合わせして、「あっ、いらっしゃったんですか」となった。やかんに湯を沸か

斉藤　自粛は、解決を遅らせる。だから、閉じ込めるのではなく、みんなが早く感染しないとダメなんだ。元気な人、若い人は特に。

坂の上　それだけのことですよね。

斉藤　ほとんど発病しないようなものなんだから。

すことすらしていない。隣にコンビニがあって、全部コンビニで買うんだって。料理は一切しない。その娘が結婚したら、親がそんなだから、娘も一切料理をしない。全部コンビニで買うんだって。

**坂の上**　怖っ。

**斉藤**　いいものを食べましょうとか、無農薬のものを食べましょう、そんなレベルではない。家庭で、まず親が子どもをどうしつけ、何を食わせるかだ。

**坂の上**　そこからですか。

**斉藤**　牛乳は牛の子が飲むもの、人間の子は母乳を飲むものなんだ。もちろん、母乳の出ない人の次善の策もある。うちのヤギの前で「おまえたちの乳で育った。おかげで私は生きてこれた」と言う年寄りがいる。それはそれでいいんだけど。

生まれたら、いずれ何かで死ぬんだということも当たり前の話で、致死率100％で生きているのが人間だ。次に地震が起きたらどうするんだとかなんとかいう心配な話もいっぱいあるけど、良寛さんだったかな、また大地震が来たらどうなるかといったら、「災害に遭う時節には災害に遭うのがよかろう」とかいうコメントを出した。いずれ何かで死ぬし、災難に遭うときは災難に遭うんだからしようがないじゃない。お年寄りでも、わあわあ騒ぐ人がいるけど、幾つまで生きたいんだ。年に不足はないんだから、いいじゃないか。そういうことがないんだね。この世の中をずるずるダラダラと生きているだけ。私も、5人の孫がいるけど、会社へ入って結婚して、子どもができて、孫ができたら、大体用事は済んだようなもんじゃないですか。日本が昔から持っていた身ぎれいさというか潔さというか、そういう哲学も持っていないと。ウハウハ生きて、ウハウハ死んでいくのではね。

**坂の上**　確かに、薄っぺらいですよね。

**斉藤**　今回の件も、怖い怖い病でやっているのでは話にならないけど、マスクは外して、太陽光線を浴びて、「元気で行こう！」みたいなスタイルをみんなでそれぞれ展開をするのが一番大事なんじゃないかと思います。

**坂の上**　だから、そろそろ「赤信号みんなで渡れば怖くない」をやる必要があるかなと思うんです。

## 斉藤新緑から若者たちへのメッセージ

**坂の上**　最後に、若者たちへのメッセージをお願いします。

**斉藤**　メッセージは、ボーッとしていると、とんでもないことになるよということだけですね。物事を自分の頭でしっかり考える。そのためには、きちっとしたニュースソースを持つ。友達同士で「何のニュースが正しいと思う?」と話すとか、自分でチャンネルを幾つか持っておく。どこかのステーキがおいしかったとか、ケーキがうまかったとか、花がきれいだったとか、どこの観光地に行ったとかいうフェイスブックではなくて、こういう情報でこんなことになっているぞとか、中国とアメリカがケンカしているみたいだけど、国の単位なんて、サッカーチームの一つにしか思っていない人がいっぱいいる、世界全体を見ている人がいるという話をもっと活発にやれるといいなと思います。

## 坂の上零から若者たちへのメッセージ

**坂の上**　坂の上零から若者たちへのメッセージです。『日本病』に書いたのとは別のことを言いたいと思います。

これから、善人の自己犠牲の時代がしばらく続くと思われます。ワクチンの義務化をされてしまうと、それを拒否する勇気のない人は、ワクチンを入れられてしまうのです。

NAUコミュニティー、医食同源はこぶねNAUを「天が創りたかった世界を地上につくる」天命を成していく中で、どんな社会をまずつくるのか、考案しました。私たちは「5つの自立」と言っているのですけれども、まずは水とオーガニックの農業を広める「食の自立」。それから、「医療の自立」、「金融の自立」。そして地球を破壊しない次世代の産業技術の事業化で財源をつくる「産業の自立」。そして最後に、技術はできているのですが一番難しい「エネルギーの自立」。この5つの自立をかなえながら、国破れて山河ありではないですけれども、たとえ国がなくなってもちゃんと生きていく。こう言うと、国の中に独立国をつくるかのように聞こえるのですが、そうではない。新しい、次の社会を自分たちで築いていこうとしています。それが、はこぶね組合の理念なのですけれども、そういったものに興味がある人たちは、何もアリの集団自殺の中にずっといないといけないというわけではありません。そこから一歩出る勇気を持っていただきたい。

逆に言えば、新しい世界をつくっていくしかないのです。今の世界は壊れていますす。確かに時代の大転換期で、このまま行けば、どこに勤めようが、どこに行こうが、泥船に乗っています。だからこそ、アリの集団自殺の群衆から出て、少数派かもしれないけれども、次の持続可能な、社会のコアな部分を一緒につくっていく。小さくても少しずつそういうのをやっていきたいと思っています。なので、諦めないでいただきたいと思います。

それから、私の子どもたちにも思っているのですけれども、国がこう言うから、政府がこう言うから、会社がこう言うから、だからそれが正しいんだというだけじゃなくて、斉藤先生がおっしゃったように、判断のための情報ツールをほかにも持って、常に事実かどうかを見極めて活動をすることだと思います。

そして、自分たちの新しい世界を自分たちでつくっていく。誰かヒーローがやってくれるのを待つのではなくて、自分たちが立ち上がって、自分たちが引っ張ってやっていくんだという意識を持たないといけないと思います。

自分たちがその地域の政治家だったらどういう政治をするかなという視点で一回生きてみる。そうしたら、〇〇ちゃんが好きとか、〇〇の何がおいしかったとか、花がきれいだっただけではない、もっと濃い、深い生き方ができるのかなと思います。

絶望の時代がしばらく来ますけれども、部品にならないで、人間のままでいてください。与謝野晶子さんは、「君死にたまふことなかれ」と言ったのですけれども、坂の上零は、「君チップ奴隷になりたまふことなかれ」という言葉で終わりたいと思います。

どうもありがとうございました。（拍手）

## 質疑応答　怒りについて

**質問者A**　人は、怒りがあると、すごく行動が出るのですね。どうやって怒りを出せばいいのか。コロナとか、真実について、ワクチンが効かないとか、これはウソだったとわかったときにバーンとくるのか。

もう一つは、支配に対する自由についてです。北海道のアイヌの人たちは今どういう生活をして、日本の政府とどうかかわっているのか。彼らの生活がわかると、はこぶねとの共通点とかヒントになるのではと思うのですが。

**坂の上**　少数派だから、どうやって生き延びているのかということですね。なるほど、確かにそうかもしれませんね。

ただ、北海道は、もともとアイヌの方々が住んでいて、我々が土地を奪っているところもある。それなりに優遇されているのではないかと思うのですが、私はアイヌのことに関しては、詳しくは知りません。

怒りに関して、斉藤先生、いかがですか。

**斉藤**　怒りはどこから発せられるかということ、これは難しいね。

今の時代は、テレビが怒らせるんだ。テレビが、住民を怒らせるために暴露したりする、つくられた怒りです。テレビで言うから、みんなが気がついたり、怒ったりということでしかないんじゃないかな。正しい情報を流す何かをみんなが見ていればできるけれども、何も見ていないと、怒りを結集できない。みんなが怒りを持てば怒りの行動になるんだろうけど、みんなが怒りの行動を持つというのは、恐らく「みんなが自粛する」みたいなもので、テレビがみんなに怒りを持たせるときが、みんなが怒りを持つときではないかな。その辺が、今の時代は難しいと思う。だって、みんながテレビを見ているんだもん。

**坂の上**　私は何十年と見ていませんけどね。

**斉藤**　あれは無駄な時間だと思うね。

**坂の上**　ホント、無駄。

**斉藤**　うちの女房や子どもがそうなんだけど、家に帰ったらテレビがついていて、何かがしゃべっていないといけないみたいだね。

**坂の上**　テレビって、人の笑い声とかを効果音でかぶせるでしょう。私はあれを聞いただけで、虫ずが走って、ブチッとテレビを切るんです。

**斉藤**　例えば人の車に乗ったときに、テレビがあって、バラエティー番組とかが流れていることがある。私を殺すのに20秒も要らないね。気が狂いそうになるね。

「この雑音は何なんだ」と言って消しちゃうもん。

**坂の上**　私も耐えられない。

**斉藤**　テレビを見ていないと、今のテレビは、こんなバカなものに大騒ぎして、何だと思う。

**坂の上**　こんなくだらないものを喜んでずっと見ている人たちの気が知れない。よほど知性が低いのか、よほどバカなのか、本当にバカにしか見えない。バカ、バカと人に言うなと私は怒られているのですけれども、言いたくないけど、あんなものを見ているからバカになるのか、バカだからあんなものを見るのかですよ。

**斉藤**　それは、さっき言った3S（セックス・スポーツ・スクリーン）の話と一緒さ。昔の映画が今のテレビだとすれば、「パンとサーカス」と一緒だ。みんなそこに注目して、プロ野球とかサッカーのニュースに、今日の出来事のニュースがちょっとまじって、スーッと行事的に流れているだけだ。何のどこが問題かなんていうニュースは一つも出てこなくて、1時間番組の中で「ハイ、スポーツです」と言ってからスポーツが30分も40分もあったりする。新聞だって、スポーツ新聞で見ているようなことが山ほど出ているじゃない。

斉藤　テレビを見ていないと、今のテレビは、こんなバカなものに大騒ぎして、何だと思う。

坂の上　こんなくだらないものを喜んでずっと見ている人たちの気が知れない。よほど知性が低いのか、よほどバカなのか、本当にバカにしか見えない。言いたくないけど、あんなものを見ているからバカになるのか、バカだからあんなものを見るのかですよ。

愚民化政策は、ナチスドイツのときから始まっていて、戦後の日本のGHQ戦略による洗脳があって、その完成形が今の日本だと思う。

**坂の上**　怒りに関しては、ちゃんとした歴史を学ぶ。そういうのは本がいっぱい出ているから読めるし、YouTubeもいっぱい上がっていますから見られます。それをちゃんとわかるだけでいい。ただ、変なウソもいっぱい出ています。最近は特に、奇をてらっただけの変なユーチューバーとかもいるから気をつけてください。私とかみたいに、かなり年季が入っていて長くやっている人はそんなではないのですけれども。

いずれにしても、ちゃんとしたことがわかる人間の普通の感覚なら、怒りを持って当たり前です。私は怒っていいと私は思います。静なる怒りというのがあってもいいと思います。怒りの感情で事をなそうとするのはいけないけれども、大いなる怒り、自分の国を守りたいという気持ちがあって怒っているぶんにはパワーになると思うんです。しかし、そこでとまってほしくないんです。利他の愛のところまで怒りを高めてもらいたいと思うんですけど、怒りから入ることはいいと思います。逆に言えば、怒りさえ持てないような人間、こんな状況で怒るべき

斉藤　愚民化政策は、ナチスドイツのときから始まっていて、戦後の日本のGHQ戦略による洗脳があって、その完成形が今の日本だと思う。

坂の上　じゃ、何でゾンビにされちゃうのか。日本人、アメリカ人に何でゾンビが多いのかというと、遺伝子組み換えとか、食品添加物とか農薬を使った変なモノを食べているからだと思います。

ときに怒れない人間は、去勢されているゾンビになっちゃっているというふうにしか見えないです。

じゃ、何でゾンビにされちゃうのか。日本人、アメリカ人に何でゾンビが多いのかというと、遺伝子組み換えとか、食品添加物とか農薬を使った変なモノを食べているからだと思います。本当に変なモノを食べています。だから、何度も言うけれども、ちゃんとした無農薬、無化学肥料のオーガニックのものを食べる。オーガニックのものは、ＣＯＣＯＮＡＵでも売っているし、ＮＡＵマーケットでも売っています。先生のところのものも売らせてもらっています。こういうものを食べてください。それだけで知性が上がるし、まともな人になりますし、テレビなんかを見たら気持ち悪くなります。

**斉藤**　添加物は、ヨーロッパが20～30種だとすると、日本は１５００種ぐらいあるのではないかな。数字はちょっと覚えていないけど、日本は添加物世界一です。

**坂の上**　例えば、ＣＯＣＯＮＡＵで出している先生のところのプリンは、原材料のところを見ると、砂糖、卵、牛乳、プラスアルファしか書いていない。これが当たり前なんですけど、コンビニとかスーパーでプリンを買ってください。容器の裏を見てください。わけのわからない片仮名がブワーッと、とにかくいっぱい書いていますよ。あれを見るだけで私は買えなくなっちゃうんです。でも、食べていますけどね（笑）。選択肢がそれしかないから。それもあって、COCONAUとかNAUマーケットをやっているんです。いずれにしてもちゃんとしたものを食べる。

私のオフィスの横に、ファミリーマートがあって、結構よく行くんです。でも、パンが買えない。なぜか。ヤマザキパンしか置いていない。どうしてファミリーマートにはヤマザキパンしかないのか。ほかのパンもあるだろうと思うんだけど、ヤマザキパンしかない。

**斉藤**　行政の話をすると、今の福祉行政とか医療行政とか農業行政とか、トータルの話をしても、行政は縦割りで、農業は農業なんです。食は食なんです。健康は健康の話をする。健康のために一番大事なことは、毒を体に入れないで、本当のものを食べること。「だったら、行政はコンビニの弁当を食うなと言え」と言ったことがある。「何で自粛のテイクアウトで加工食品とかマクドナルドを食べるんだ」とは誰も言えないし、行政としてはアンタッチャブルの話なんだけど。

本来健康には何が大事かと言ったら、毒を食べることになるから食べないことだと、森美智代さんの『断食の教科書』にも書いてある。船瀬さんも、体の調子が悪くなったら食べるな、動くな、寝てろ、3日食べなきゃ7割治る、7日食べなきゃ8割治るとか9割治るとかと言っている。毒を食べているから、体の調子が悪くなる。病気になったら、食べずに水だけ飲んで、じっと寝ていることだ。

「風邪を引いて馬力をつけないといけないから焼き肉を食べに行く」というのは、根本のところが全然ダメなわけだ。肝臓に負担がかかる。内臓を休ませるのが病気を治す一番で、デトックスさせるのが大事なんだけれども、そういう本当の話は、実は長いこと生きていたって、誰も言ってくれない。調子が悪くなったら医者へ行って、検査してもらって、「ああ、ここにがんができています」と言われて手術して、抗がん剤を打って、放射線治療をして、「気の毒にね」というパターンだ。体が悪くなるまでそんなものを食べ続けている。

**坂の上**　ホントそうですよ。食べものさえちゃんとしたものにかえれば、健康問題の8割は解決すると思います。

**斉藤**　保健予防と山ほど言うんですよ。でも、行政は「早期発見のために健康診断に行きましょう」としか言わない。健康診断に行くと、昔は年齢プラス90が高血圧と言ったんだけど、今は130ぐらいに基準が下がっていて、140とかになると「高いね」というので、医者へ行くと「薬を飲みなさい」と言われて、高血圧の薬を飲み続けることにつながっていく。

人間の体は、血圧を高く維持しなければならない理由があるから高いわけで、みんな一律ではない。役所には、そんなことを考えるとか検証するところがないし、健康診断でひっかかったら「ハイ、明日から1週間断食してください」ということもない。「根本治療のために運動しなさい」とも言わない。そのままで再診して、「これはお薬を飲まないといけないですね。でも、大したことはないですよ。1日1粒飲めばいいんですから」みたいな話が一生続いていく。

生まれてからずっと生きてきても、その根本のところ、健康のことは、学校でも何も聞いていないし、社会へ出ても、何も知らないまま、新聞、テレビの言うとおり、専門家の言うとおりにする。その結果、自分の命も守れない、家族の命も守れないみたいな方向になるのかなと思います。

**坂の上**　怒りに関しての私の意見です。

私はインドという国に結構縁が深いのです。最初に行ったのは、もう30年ぐらい前だったかな。最初は毎日泣いていましたね。ところが、その国が私の第2の国になっちゃうわけです。

30年ぐらい前のインドは、今とは違って、娯楽がなかった。今のインドは、ちょっと東京みたいになって、スーパーマーケットもあるし、映画館もあるし、街にはいろいろな車も走っているし、夜はオレンジ色の光がつくようになりました。しかし、私が最初にいたころのインドは、ボワーンと薄暗く青白い光がポツン、ポツンとあるだけで、車も4種類しか走っていませんでした。そんな中で、私は当時、デリーで唯一のジャズピアニストだったので、重宝されて、ヨーロッパ系の国の大使館の外交パーティーとかで演奏したりしました。

インドは、残念ながらカーストです。文化だから残念でもなくて、インドに長く住んでいれば、ある意味、士農工商みたいなもので必要だということがわかってくるんですけど、安っぽい正義感から見れば、「エーッ、何でこんなに人間が人間を差別するの？」となっちゃうのです。あるパーティー会場の隅に、立つことも許されなくて、ひざまずいて、下を向き続けているインド人がいました。身なりがあまりよろしくないので、どう見ても貧しい人です。同じサーバントでも、カーストのレベルによって、テーブルを拭く人と床を拭く人は違うし、ベッドで寝られる人、床で寝る人というのがあるのです。彼はカーストが低かったのでしょうね。絶望的な目で下を向いて、一点を見詰めていました。

大使たちは、パーティー会場で、ダンスをしたり、外交の話をしたりしていた。私も話をしていましたけれども、彼のことをチラチラと見ていたわけです。そのとき、「この人と私とは何も変わらない」と思った。同じ人間だというだけではない。私は日本に帰ってきたら、ただの貧乏なピアニストです。向こうにいたから蝶よ花よだったけど、本来であれば、あの人と変わらない立場だったかもしれない。

でも、彼と私には大きな違いがあった。彼は諦めているんです。私は諦めていないんです。ピアニストという手に職があったということもありますけれども、その人の目を見ていると、なんかもう、奴隷みたいだなと思った。これを私は今の日本人に言いたいのですが、インドの奴隷のほうがましかもしれません。自分はこういうふうに生まれついた。そして、これが私の運命だ。つまり、どれだけ理不尽な目に遭っても、怒りさえ持てない。怒ることを忘れてしまった。怒れないのです。怒るには、自分が人間だという自尊心が要るんですけど、自尊心がないものですから、怒れないわけ。絶望しちゃっているわけ。自分の価値を自分が一番認めてあげられないわけです。

私はたまらなくなって、その人の前に行ったのです。そして、「私を見て。ひざまずいていないで、立って。私とあなたは何も変わらない。ここにいる人たちともあなたは何も変わらない。変わるところが一点だけあるとすれば、あなたが自分の人生を諦めていることだ」と言ったのです。怒りを持つことができるというのは、人間である証拠です。奴隷になってしまうと、目も死んでしまって、怒りも持てない。あなたは奴隷じゃないんだ。人間なんだ。怒りさえ持てば、自分で諦めさえしなければ、インドにいても、できることは幾らだってあるはずだと言いたかったのです。周りの人もいるから、全部は言えなかったのですけれども。私とあなたは何も変わらない、こういうのに甘んじないでくれということは、英語が通じたかどうかわからないけど言いました。

また、あるお金持ちは、「おカネを恵んでくれ。あなたはお金持ちなんだから」

と言う貧乏な乞食を蹴り倒すのです。蹴り倒すことないじゃんと思うんですけど、蹴り倒す。何でそうしたかというと、怒って、立ち向かって、胸ぐらをつかんで殴り返してこいと思ったんですって。殴り返してこれたら、こいつは見込みがある。自分の力で生きていくことができる。そういう人だったら、何か商売をするための資本金を出してやってもいいと思ったみたいです。

だけど、それさえできないような人は、おカネを出してあげても無意味だからダメだ。その人のビジネスやら何やら、やろうとしていることに対しておカネを出す分にはいいけど、ただ単に施しというのだと、その人をダメにしてしまう。だから、そのお金持ちは、自分に恵んでくれと言う物乞いをひっぱたいて、殴ってボコボコにした。怒りを抱かせるためです。立ち上がって自分に刃向かってくるぐらいの根性があれば何でもできる。逆に、それぐらいの根性を持てと言いたいわけです。

今の日本人に対しても私は同じ気持ちです。インドから日本に帰ってくると、日本人が、かつて私がパーティー会場の隅で見た人たちに見えて仕方がない。それがとても残念です。本来日本人はもっと気高い、崇高な民のはずです。ＹＡＰ

遺伝子だって流れているんだから。

## 質疑応答　コロナ禍の日本の政治判断について

**質問者B**　このようなコロナ禍の騒動の中、日本を動かしている政治家とか官僚の中心の人は、こういう真実を知りながら日本を悪い方向に先導しているのか否かを疑問に思ったのです。彼らも知らずにこのような方向に引っ張っているのか、日本をダメな国にしているということを自覚しているのか。

**斉藤**　一つは、日本という国の運営を日本の政治家が主体的にやっているかどうかです。

今の世界パンデミックという状況で、集団免疫をつくろうというのを一番初めにやったところは、スウェーデンです。スウェーデンは、ロックダウンも外出禁止もマスクも「三蜜」も無関係に、コロナに勝利しています。

日本政府が主体的にやっているのかどうかということは疑わしいし、製薬会社の利権と言ったらなんですけれども、業界全体では、やっぱりワクチンとか治療薬ということが重要視されるのではないか。そのために、危機感もあおられている。厚生省は指定感染症のランクを本来インフルエンザ並みの5類にすべきところを致死率の高いエボラ出欠熱並みの最高ランクに指定し、史上最高の感染症対策をしています。

だから、無症状でも隔離され、指定された病院でしか対応できない状況となり、医療崩壊などが叫ばれます。

自粛する目的は、医療現場がパニックにならないようにするためで、解決するためではないのです。一遍に来ると大変なことになるから、自粛して抑えているだけです。全体の解決をするためには、今のような自粛で閉じ込めるのは、解決を遅らせるだけで、閉じ込めては第2波が出てきた、閉じ込めてはまた出てきたということがずるずる行くような気がします。国の判断は、もちろん首相がやるのでしょうが、そこに至る過程で、どう判断されているのかはわからないけれども、全体的な見方とすると、そういうことがあるのかなと思います。

斉藤　日本政府が主体的にやっているのかどうかということは疑わしいし、製薬会社の利権と言ったらなんですけれども、業界全体では、やっぱりワクチンとか治療薬ということが重要視されるのではないか。そのために、危機感もあおられている。

## 質疑応答　ドイツ国民の情報収集について

**質問者C**　私もたまたまコロナの時期で、時間ができて、次から次へと本を読んだりして、ここにつながり、前回から震えながら聞いているのです。

ドイツでは、市民が情報を自分から得て、いろいろな活動につながっていったみたいなお話でした。私も、普通に仕事をして、真面目にコツコツやっているだけだと、情報をとるすべがなかった。そういう人はいっぱいいますね。私も震えながら、職場の人に、ちらりとでも話をしようかと思うけれども、キチガイ扱いされそうなところがあります。ドイツでは、どうやって情報を知って、市民がまとまっていったのでしょうか。

**坂の上**　それがはこぶねNAUコミュニティーをつくる原型だったのです。

役所は、縦割りじゃないですか。でも、ドイツの各地域には、いろいろな団体のいろいろな人たちがいます。医師会もある。観光協会もある。中小企業の団体もある。大学もある。中学も高校も小学校もある。いろいろな職業のいろいろな方々がいます。主婦もいれば、子どもたちもいる。ドイツは、こういう方々をみんな入れた。ドイツがすごいのは、子どもも入れたのです。だから私は、はこぶねには子どもが入っていなかったなと思って、子どもを入れようと思いました。

ドイツは、みんな入れて、一つのコミュニティーをつくったのです。そして、直接民主主義でイタリアに五つ星運動ができたのですけれども、その原型になったのが、ドイツとイタリアです。あまりにも政治が腐敗していることに気づいた一般の方々が、いろいろな方々を呼んで、みんなで政策を考えたそうです。例えば、エネルギー問題はこうしよう、食料問題はこうしよう、教育政策はこうしようということを考えた。みんな地域をよくしようと思っている人たちばかりじゃないですか。

だから、役人とか政治家だけに政策を任せているのではなくて、自分たちの地域のことを自分たちで考えて、みんなで政策をつくるようになった。それが各地域でタケノコのようにドイツで起こった。その結果、脱原発、みんな原発をエネルギーにするのはイヤだよねということになって、じゃ、自然エネルギーにかえようとなっていった。そして、そういう提案書が議会に出されれば、議会はそれを議論しないといけない。回答もしないといけない。それで市民の力がどんどん強くなっていくんです。だから、ドイツで脱原発にもなった。

ドイツは、太陽光発電とかが入っている比率が高いのです。ワクチンを過剰に接種しないというのもそういったところからだし、ホメオパシーとか、自然治癒をするようなものを医療に取り込むことも市民活動から出ています。特に、食に関してドイツは圧倒的にオーガニックになりました。はこぶねコミュニティーのようなものがドイツで各地域にできたのです。

そのときのスローガンを、はこぶねも同じように使わせてもらっています。ドイツは「我が地域に未来を」というスローガンでみんなを集めました。そこには社長さんもいたり、医師もいたり、主婦もいたり、子どももいたり、学校の先生もいたりした。ただし、変な人ではなくて、本当にその地域を心から愛している人たちだけを集めた。

教育の問題もそう。ドイツ人なんだから、ドイツの歴史やドイツのことをちゃんと子どもたちに教えようとか、貧しい家の子でも、差別なくちゃんと教育を受けられるようにしようとかいう発想は、全部市民から出ています。

**質問者C**　最初の情報は、日本と同じように、まずいことは知らされなかったのですか。

**坂の上**　そうです。ものすごく腐敗していたのです。そして、ドイツ人も日本人と同じで、ぎりぎりまで我慢する民族なので、このままでは俺たちの国に未来はないじゃないかということになった。ドイツはもっと悲惨なんです。今の日本はTPPで身動きがとれないじゃないですか。だけど、ドイツ政府にはEUがある。ドイツ政府が何を決めても、EUがそれを認めなければダメなんです。イタリアも、EUがダメと言ったらダメなんです。

ドイツは政策を間違ったのです、日雇い労働者みたいな人とか単純労働者をトルコとかイスラム圏から結構いっぱい入れたのですけれども、彼らがドイツ人の生活保護を持っていっているようなところがあった。日本もそうなっているんでしょうけど、移民政策に完全に失敗して、このままだとヨーロッパ中の人たちをドイツ人が養わなきゃいけないのではないかみたいになった。

じゃ、自分たちはどういう社会をつくるんだと考えたときに、でも、EUも政府もなくすわけにはいかない。それで、私と同じ、新しい国をつくろうという発想になったのです。ドイツの中にある別の独立国みたいな感じのところで地方自治を強めて、市民の声が届く政治をしようということで、政策をつくる段階のときに市民が入って、一緒につくって、それを議会に持っていくということをした。

同じことをはこぶねでしたいと思っています。ドイツで成功した。それがあるから、ドイツは市民の力がめちゃめちゃ強い。メルケルさんも「すみません」となってしまうぐらいの力を持っているわけです。そうなるまでに10年くらいかかりましたけど、はこぶねコミュニティーのようなものがドイツ中のあちこちに、タケノコのようにできて、地域社会がガシッとまとまってきています。その情報は、ＹｏｕＴｕｂｅとかインターネットからとっています。だから、これからはテレビではなくて、ちゃんとした情報を集める。でも、カスの情報もウソもいっぱいあるから、気をつけてください。

これぐらいでよろしいですかね。本日はどうもありがとうございました。（拍手）

（了）

# 第2部

## 斉藤新緑、アグリツーリズモNora（ノラ）から世界を語る

# アグリツーリズモ Nora（ノラ）でのインタヴュー

時・2020年8月7日

# Part 9 またも繰り返される医療ビジネスの定番

## コロナパンデミックなんてこれまでのコピーそのもの

僕は30年、議員をしているけど、過去にインフルエンザの専門家が書いた、「インフルエンザワクチンは打たないで！」という本が出ていたりする。

群馬県の前橋市で、インフルエンザワクチンを打った直後、男の子がけいれんを起こした。それで医師会が一回やめてみようと言って、5年くらいやめた結果を周りと比較して、何も変わらなかったから、小学校の強制接種はなくなったんです。でも、製薬会社というのはしつこいから、年寄りには効くとか言い出す。インフルエンザワクチンはもうこれでなくなったと思ったら、また出てきてしまったという話です。

今回のコロナなんて、僕に言わせると、鳥インフルエンザ、前のパンデミックのときと全く同じことをやっているんですよ。その時も、トリインフルエンザの脅威が煽られ、治療薬タミフルが買わされました。タミフルの副作用で異常な行動をとる人が話題となりました。またラムズフェルド（ドナルド・ヘンリー・ラムズフェルド、政治家、大統領主席補佐官、国防長官などを歴任）ですよ。今回もレムデシベルという治療薬はラムズフェルドでしょう。ラムズフェルドの会社の製品がタミフルで、タミフルの賞味期限があと1カ月、2カ月で切れてしまって廃棄物になってしまうというときに、日本に来ているんです。結局あのときのタミフルは、日本が世界の75％を買っているんです。バカみたいなことをやっているんです。さらに、驚くべきことは、日本政府は、新型コロナウイルス治療薬『レムデシビル』を、申請からたった3日で『正式認可』したことです。

開発したアメリカの製薬会社「ギリアド・サイエンシズ」は、「レムデシビル」はアメリカでは承認されていない研究中の薬であり、新型コロナウイルスによる感染症の治療薬としての安全性と有効性は確立されていない。

そのうえで、レムデシビルは日本以外の国ではまだ承認も認可もされておらず、安全性と有効性を評価する臨床試験は継続中だとしている。

日本人はモルモットか？　なぜ、日本製のアビガンではないのか。

日本は、医療関係だけを見ていると、健康保険があってみんな幸せに暮らしている、いつでも医者に行けるみたいな感覚があるじゃないですか。でも、製薬会社ビジネスはロックフェラーが主にやっていたけど、あの業界は製薬会社の利権なんですね。だから、薬をどうやって売るかということで、大学で医者になるという人からみんな製薬会社丸抱えでやるんです。

今回だって、見事なものですよ。それで、「早くワクチンを」とかやっている。スペイン風邪も、アメリカの兵士がスペインに行くときにワクチンを打たせて、人間がまさに細菌兵器になったんです。

医療ビジネスで一番儲かるのは、健康な人間を対象にすることです。日本でも、今度のワクチンの副作用の裁判は、国が皆負担することになっている。みんな税金ということだけど、それは前のインフルエンザのときにアメリカがやったことです。訴えられても、全部国が面倒を見る。つまり製薬企業の製造責任が問われない。ワクチンにそのおカネをプラスして予算を組めば、幾ら訴えられても、そのおカネを出せばいい。

健康な人間を対象にした、毎年の健康診断も、いかに病院にかからせるかという側面があります。「早期発見、早期治療」といわれますが、日本のガン死は一向に減らず、「手術、抗がん剤投与、放射線治療」が繰り返されています。毎日薬を飲む、毎日血圧を下げる。それってどうみても根本治療じゃないでしょう。

昔は、最高血圧は年齢プラス90だった。あの基準をどんどん下げていくから、全部、高血圧になる。

子どものときから、風邪引いたら医者に行くものだと思っている。医者の言うことが全てだから。そういう人と幾ら議論したって、論争したって、始まるわけがない。風邪引いて、熱が出て、それこそ自分の免疫力で戦って、熱出してウイルスを殺しているんだということがわかればいいけど、そんなことはわからないから、熱出したら解熱剤をもらいに行く、頭痛薬をもらいに行くみたいな感じなんです。

私がこの間、そんな話をしたら、10歳年上の70歳のおじいさんが孫に「知ってるか。おまえ、風邪で熱が出たやろ。今、バイキンマンが入ってきたんや。おまえの中にいるアンパンマンが頑張って熱出して戦っている。おまえは今ご飯も食べたくないやろうから、ここでじっとして水だけ飲んで寝てろ。アンパンマンが勝つからと言ったのだがどうだ」と言うので「百点満点です」とお答えした。

# Part 10 次の選挙は落選する覚悟

## サラリーマン時代

向こうのレストランは、入り口とか窓を大きくとってあるのですが、あれは全部、トラクターの出入り口だったところです。あの建物は農作業小屋だったんです。こっちは全部、畑でした。僕の母親が、人生の最後まで、ここで畑をしていた。昔はこの土地は下まで傾斜があって、ずっと茶畑でした。この地域全体はずっと開けた、北海道みたいな大地になっていますけれども、もともと山があって、谷があって、僕らが昆虫を取りに行ったり、自然がいっぱいで、フナも泳いでいたような場所だったんです。

うちはお茶をつくっていたんですよ。この辺一帯、自分のエリアをお茶の木で仕切りをしていたんです。ここは基本的に葉たばことお茶で、近所に加戸小学校というのがあるんですが、図書館の名前が茶の実文庫です。子どもがみんなで茶の実を拾いに行って、それを売って本を買った。

うちも、向こうに茶工場があって、うちのおやじが小屋を建てて、当時は静岡から若い人を雇っていた。昔の県のビデオには、この地区の第一人者みたいな感じで映像が残っています。

その丘陵地を全部開発してしまって、茶畑がなくなった。だから、お茶はやめた。うちのおふくろは、私が毎晩飲み歩いて、遊びほうけたら手に負えぬと思って、勤めに出ろと言って、勤めに出たような部分があったんです。

仕事は銀行でした。労働金庫で、職場に労働組合があったんです。初めて職場に行って、春闘になったときに、青年部第1号みたいなものだから、「おっ、行くぞ」と言って、総評の春闘総決起集会で、原宿から代々木までデモをした。僕は何もわからずに行って、隊列に入れと言われて隊列に入ったら、そのままジグザグデモをやり出した。そうしたら、後ろから機動隊がガンガンやってくる。百姓の長男坊が警察に捕まるのだけは勘弁してくれとしがみついていたような思い出がある。こういう田舎にいて、まれな経験をしました。

社会全体から言うと、昔の自民党対社会党とか、資本家対労働者みたいな部分が、総評とか社会党がなくなったことによって、全部底が壊れた。総評、社会党が全てよかったわけではないけども、会社に入って、「俺は労働者になったんだ」という自覚をもった。学校で習っていることと全く違う、物の見方、考え方を学んだ。会社はホントに儲かっているのか、儲かっていないのか。儲かっているのにウソをついているのかと批判的検証をする能力。そういうことは、会社勤めしたおかげで、何となく学んだわけです。

特に我々の先輩には、「先輩、何してたんですか。僕はサッカーしていました。先輩は？」「俺は棒持っていたけどさ」というような人たちが結構いたわけです。ヘルメットの色は何色かとか、そんな話を聞かされた。今、僕が政治家になってこんなことをやっているのに一番役に立った部分は、棒を持っていた先輩たちに会ったことです。全く関係ない百姓の長男坊が、春闘の決起集会に行ってジグザグデモをした。一人で生きていても、本を読んで物を考える、ということはずっと役に立ってきました。それが真実かどうか、批判的に検証する能力を身につけるということです。

## 議員に出る

たまたまこの村に町会議員がいないということで、仲間にいわれ、人生棒にふるような思いで議員に出たけれども、出てすぐに、やめておけばよかったと思いました。出る前から、「サラリーマンをやめて町会議員に出るバカがいる」と言われたくらいでしたが、やめておけばよかったと思ったのは、会社とかスポーツとか、何でもいいんだけど、評価は1つじゃないですか。会社のために儲けてくれる人とか、サッカーで言えば点取り屋とか、評価基準がある。政治家はないんです。360度、評価がある。道をつくって喜ぶ人もいれば、俺のところの地面を取られたといって怒る人もいる。

例えば、人が政治家を評価するのに、仕事ができるとか、あるいはよく勉強して物を考えて、次の時代のために何かをしている人だということで評価するならば全然問題ないんだけど、そうじゃなくて、自己主張をせず、イヤなことは言わず、誰からも嫌われないようにしている。現に、「僕は敵がいないんだ」と自慢する議員もいるほどです。案外こういう何もしない人が喜ばれるわけです。

私は、若い人が出てくれて、みんな期待していると勘違いしていた。1回目は無投票だったんだけど、みんな期待している、みんな待っていたんだろうと思って、長いことやっている町長にガーンとやると、役場の職員なんか、僕と目を合わせないからね。エレベーターに乗っても、おまえなんか誰か知らんというくらい、町長に嫌われるような人間というか、町長に対して物を言うような町会議員なんか、イヤなんですよ。心の中で頑張れと思っている人はいたとしても、表面でお付き合いしたいみたいな感じはないんです。

だから、「おまえは毎回毎回言うな。年に一回くらいにしておけ。町長に気に入られて、役場の職員に何を頼んでも、あいつのためならとしてくれるようにしろ」ということになるんです。

評価基準が決まったところで仕事をしていたものが、何が基準になるのかわからない場所で生きる。

そんなことで、半年くらいたったときはノイローゼになりそうでした。頑張ると、頑張るなと言うし、頑張らないと、頑張るはずだったんじゃないかとかいう話になる。僕はそのときに、もうやめた、このままいけば、次の選挙は必ず落ちる。期待値が全く違う人たちが私を取り巻いているわけだから、次の選挙はダメだ。応援している人も中途半端で、何やっているんだと言われる。

そこで、私は開き直りました。次の選挙は落ちる。落ちるんだから、私の思っていることをガンガンやって落ちようと、そういう決断をしたんです。だから、誰の言うことも聞かないし、自分を信じて、自分の思うことをやりました。

その当時はバブルでハコモノ行政のまっさかり、町立病院の建替えの話があった。私は町立病院の建設特別委員会の委員長だったから、自治体の病院の状況とか、全部調べました。医療法の改正で、2次医療圏というのは決まっていて、そこではこれから病院を建てても、自由に病院のベッドをふやすことはできなくなった。ほかの民間病院でも大きいのがあって、これからは診療報酬も中身によって違う。内科から外科まで何が問題で赤字かというのを、診療科目別、医者数別、看護師数別に全部数字をはじきました。それで、「町長、こんな状況で、どのような医療を提供する病院を建設するつもりなのか」という話をしました。町長は、「さすがにこんなものを見せられると、俺もよう建てんな」と言って、これは止まったんです。

そんなことをやってて、2期目は、初めての選挙になりましたが、避けて通っていた役場の人たちも、「おまえ、評判いいな」と言うんです。当時の町長は、僕が中学校のときから長くやっていた町長で、その町長にしっかり発言してきたのはあいつくらいや、そういう評価があって、2期目は史上最高のトップ当選でした。それで2期目の後半に副議長になった。

そうしたら、三国の町も、県会議員がいなくなって10年くらいたった。またしても、三国の大きい町で県会議員がいないのはおかしいとなって、区長会の会長から、「坂本龍馬になったつもりで、片腕なくすつもりでやれ」と言われて、まさに東尋坊から飛びおりるつもりで立候補しました。今は坂井市というんですが、坂井郡という福井県の中では第2の大きな選挙区で、この時も記録的なトップ当選でした。それが42歳のときです。

# Part 11
# こうして「ノラ」が出来上って行った……

## 施設の紹介

自宅から歩いて1分程度の場所に、敷地が600坪ほどの畑があり、老朽化した農作業小屋がありました。

県会議員に当選してから、事務所を町の駅ビルに置いたのですが、家賃が高かったので、この小屋を大規模改装して、事務所と多目的施設とすることにしました。

どの程度の改装にするのか、迷いましたが、娘の家を建てるつもりで、全面的な改築を行い、多目的ホールや宿泊、風呂なども整備することにしました。

そのうち、ホールをレストランにして運営したいと言う人が出てきたので、そのまま、お貸しすることになりました。

それが、農家レストランとなり、Ｎｏｒａのきっかけとなりました。

Ｎｏｒａ（ノラ）は、野良仕事の野良の意味です。

Agritourismo Nora（アグリツーリズモ　ノラ）という名前は、スローフード発祥の地イタリアのアグリツーリズモをイメージしたからです。

日本では、アメリカ圏なのでグリーンツーリズムと言っていましたが、農家民宿というような感じで、華やかさがないように感じて、都市と農村の交流、週末は田舎で暮らす、おしゃれさを取り入れたかったのです。

母が死ぬまで農業をしていた畑でしたので、樹木など何もなかったのですが、ヤギを飼育するのに小屋や柵をつくったり、レストランの前に竹やシンボルツリーとなる欅（けやき）を移植したり、駐車場の整備を行いました。

近所の人からは、こんな村にレストランなどつくって、「三日でつぶれる」などと酷評されました。

それが２０１３年のことです。あれから、８年。

アグリツーリズモ
Nora（福井県）
プラズマセラピー、陶板浴
セラピーも受けられる

整備前の農作業小屋と畑

イベントや食事をするスペース

アルパカがいて井戸があって、本もあって……

センスのいいカフェも併設されている

娘さんとお孫さんと。
家族でささえ合う！

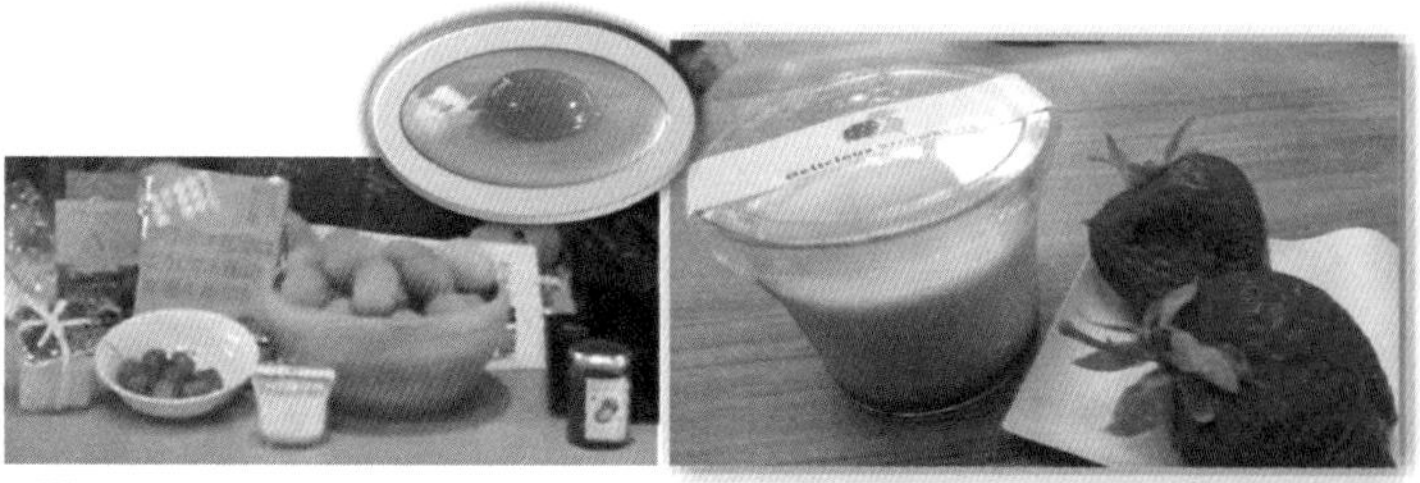

イチゴもタマゴも自作ならではのハイクオリティ

斉藤氏自らがデザインしたという癒しの空間が広がる

溺愛するヤギさんとの共生

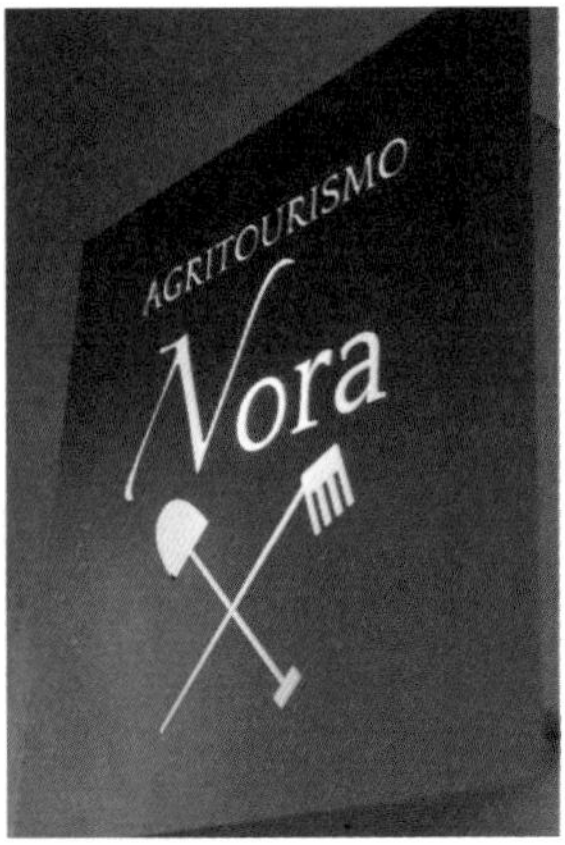

（上）
充実したヒーリングスペースにはさまざまな波動機器

（下）
ヒノキチップをしきつめた鳥小屋には悪臭はなかった

一見するとカオスなのだが、
不思議な癒され感に満たされている

畑の中に、地域の憩いの場、出現　Noraアグリツーリズモ

ホッとする、どこか懐かしい空間です。食事、宿泊もOK

写真：中谷航太郎

ぼ思いつきで、やってきた結果が、よくまとまったというだけなのです。

しかし、これまで、地域の人を巻き込んで、地域全体を考え、みんなが参加する、といったものが相当のエネルギーを要したのに対し、銀行で借金しながらも、自分の好きなように絵を描いて実践できることは、気軽で、やりたいことをやる楽しさがありました。

自分の責任において、自分だけでできる範囲で、一つの拠点、居場所を創り、残すことができたことは、喜びです。

## 議員としての活動

人は政党で人間を見るようなことをするかもしれないけど、僕は基本的に愛国者だから。自民党の愛国者はこんなときに頑張らないとダメなんだ。郵政民営化に反対していた亀井静香さんたちが本物だよ。そういう人がいなくなったんだ。

愛国者というのは、ユダヤと戦っていた昔の軍人の四王天延孝《しおうてんのぶたか》か、多分あの辺の本に書いてあったんだろうけど、要は、虎は死んで皮を残すというが、愛国者

要は、虎は死んで皮を残すというが、愛国者は何も残せない。売国者は地位も上がれば、カネも入れば、みんなからもてはやされる。愛国者というのは、カネも入らなければ、戦わなければならないし、無残な死に方をするんだと。

は何も残せない。売国者は地位も上がれば、カネも入れば、みんなからもてはやされる。愛国者というのは、カネも入らなければ、戦わなければならないし、無残な死に方をするんだと。最後には殺される。愛国者というのはそういう運命にある。だから、愛国者は死んで何も残せない、皮を残せない。

## 坂の上さんとの関係

坂の上さんとの出会いは全くありませんでした。ジャズピアニストと書いてあったから、じゃ、話しついでに、歌でも歌ってもらおうかなと。メールしたら、今はキャンセルが相次いでいて、呼んでくれてうれしいと。

僕は全然知らないんだ。ここに来た人もみんな知らない。どんな人と聞かれても、僕も知らない。ここへ呼んで、講演してもらって、初めて会った。坂の上さんって、何者か、本は読んでいたけど、全然知らなかった。少しセクシーな感じで来てくれるかなと思ったら、何だ、ちょっと違うぞと（笑）。

私も坂の上さんと同じくＧＭＯ、遺伝子組み換え種子の農業、ゲノム編集された肉や魚に反対です。

## 日ユ同祖論

僕が議長をしているとき、福井県でAPECのエネルギー大臣会議というのがありました。そのときにコーディネーターをしたのがペルーの大使だった。知事から、「議長、悪いがペルーの大使とメシ食ってくれ」と言われて、芦原温泉でメシ食べたりした。

ブラジルの福井村に記念で行くというので、そのときに電話して、「今度ブラジルに行くから、ペルーに寄ろうかな」と言ったら、「そのときは俺もペルーに帰っているから、おいで」と言われて、ペルーの国会とか大使館とか案内してくれました。私も、マチュピチュに上がったりした。

その大使が福井のことを非常に気に入ってくれた。一宿一飯の恩義もあるから、ペルーの友好協会をつくって、また行った。だから、マチュピチュに僕は2回上がったんです。ナスカの地上絵も見てきました。あれはやっぱり人間わざじゃない。ナスカの地上絵なんて、セスナ機であんな高いところまで上がって、大丈夫かなと思うくらいのところまで上がって、そうして初めて絵が見える。そんなものは人間わざじゃない。

それも、木村秋則さんが本に書いていますね。UFOに連れられてと。そういう世界があるんですね。昔は、何万年も生きた人もいたのかもしれないし、大男がいたのかもしれない。何がどうなのか、わからない。ピラミッドだって、今の建築技術をもってしてもできないそうですね。だから、わかっている範囲なんて、本当に狭い範囲です。

神と悪魔の戦いなんですね。日本人は、悪魔がいることがわからない。キリスト対反キリストなんて、わからない。反キリストというのは、とんでもないことをやっている。悪魔だもの。

オリンピックだって、ニムロドのお祭りと言っている。ニムロドという悪魔です。オリンピックは平和の祭典みたいだけど、仕切っている人はヨーロッパの貴族とかそこらで、次もやるかやらないか、彼らが決めるようです。

クリスマスも、ニムロドの祭りなんだって。キリストじゃない。だから、サン日本人は、悪魔がいることがわからない。キリスト対反キリストなんて、わからない。反キリストというのは、とんでもないことをやっている。悪魔だもの。

オリンピックだって、ニムロドのお祭りと言っている。ニムロドという悪魔です。

クリスマスも、ニムロドの祭りなんだって。キリストじゃない。だから、サンタじゃない。サタンなんだ。

タじゃない。サタンなんだ。

彼らは、そういうことをやるのが好きなんだ。数字は全部合わせるしね。9・11、3・11。

お札にも仕込む。お札の模様も、情けない性器が描かれている。何語かは忘れたけど、令和という言葉自体がそうだと出ていた。徹底的にバカにされている。イルミナティカードとかね。

日ユ同祖論というのがある。「ハッケヨイノコッタノコッタ」とか、「ワッショイワッショイ」なんて、日本人は誰もわからない。はやし言葉くらいにしか思ってない。「はっけいよいのこったのこった」というのは、ヘブライ語で「やっつけろ、投げ飛ばせ」ということだ。「ワッショイワッショイ」は、「神が来る」ということだし、「ヤーレンソーラン」なんていうのも、ニシンの群れを2階のはしごに上って見る、はしご段とかいう意味がある。

「君が代」がそうです。「カゴメカゴメ」も、「サクラサクラ」も、全部ヘブライから来ている。日本語と一緒の発音で、一緒の意味を持つのが相当ある。「君が代」は、「神とともに歩め」とか何とか、平和の行進曲みたいなものですね。ユダヤと日本人は近いんだというところはあるんだけど、そこはさっぱりわからない。

秦一族なんていうのも、文字どおり秦さんで、秦さんの一番の大元締めは太い秦さんで、太秦《うずまさ》なんです。京都の祇園祭はシオン祭りだし。祇園祭のタペストリーにはラクダとか、日本と全然関係ない。

天狗の面というのはヘブライ人だ。鼻が高い。頭巾《ときん》つけていたりする山伏は全部そうです。

向こうの人間が来たときに、何で日本にこんなことがあるのかと聞かれる。イスラエル人が来ても、違和感を持たない。風呂に入るのに体を洗って入るのは、日本人とイスラエル人くらいしかいない。でも、ユダヤ資本にやられっ放しです。

# Part 12
# 人間牧場を作るシナリオが唯々進行しているだけのこと！

## 混乱の中を生き抜く

うちは、じいちゃんはいなかったけど、ばあちゃんが小学校6年のときに死んで、そのとき姉ちゃんが嫁に行った。高校2年で父親が死んで、2番目の姉ちゃんが嫁に行って、6人家族が2人になった。ばあちゃんと父ちゃんが死んだ。

よその家では、まだ誰も葬式なんかしてない。でも、うちは立て続けに葬式をして、人が死ぬことに対して思うところもあった。うちは田舎だから、子どものときから寺で遊んだりしていた。「生まれては死ぬるなりけり、おしなべて釈迦も達磨も、猫も杓子も」と一休禅師が言ったんだけど、生まれたら死ぬというこ

「生まれては死ぬるなりけりおしなべて　釈迦も達磨も猫も杓子も」を書こうかなと思ったのは、コロナで1000人くらいしか死んでなくても、餅を喉にひっかけて死ぬ人は1300人いる。がんは年間40万人で、１日に直したら、千何人死んでいる。何を恐れ、何が一番の基準なのか。

とを、今の人間は見詰めてないような気がする。

昔は、武家に生まれた者は、生まれた途端に切腹の仕方を教えるとかいう話があるじゃないですか。生きるということに対するものが死ぬということだから、今回、新聞を書くときに、「生まれては死ぬるなりけりおしなべて　釈迦も達磨も猫も杓子も」を書こうかなと思ったのは、コロナで1000人くらいしか死んでなくても、餅を喉にひっかけて死ぬ人は1300人いる。がんは年間40万人で、1日に直したら、千何人死んでいる。何を恐れ、何が一番の基準なのか。

テレビが言うから、怖い。東日本大震災の原発事故が起きたとき、テレビは大丈夫だと言うから、みんな外に出ていた。安全か安全でないかの判断は、テレビに言われてやっているのか。

そもそも、タビストック研究所とか、昔から、どうやったら人間がそういうふうに思うかなんて心理作戦は、彼らのグループの中で山ほど研究し尽くされている。真珠湾攻撃だって、あたかも日本がインチキしたみたいなことを言うけど、上手に仕掛けられている。アメリカの国民の反戦思想を変えるために、日本に突っ込ませないと、ヨーロッパ戦争に参戦できなかったわけですから。そのシナリオを書いて、そういうふうに動かすわけでしょう。

今回だって、シナリオがあって、飛び道具としてのテレビがあって、役者はこういう人たちで、という番組がつくられているわけです。最終的にはこうなっていくだろうと。だから、自分で考えるということが一番大事なことです。

死ぬことが怖いとかいう話になると、今の比較論じゃないけど、人間というのは致死率100％のものだから、そのことをわかっていれば、今のコロナくらいで大騒ぎするような話ではない。

戻さないためにやっているから、多分このまま戻らない。アメリカのドル体制が壊れるでしょう。日本が何で消費税を上げたり、郵便局を民営化したり、ＧＰＩＦに年金を出したりしているかというのは、アメリカを助けるためにやっているんです。そのためにトランプが来ては、カネ出せ、カネ出せと言っていた。軍事兵器を買わされたりしている。でも、もうとどのつまりまで来たんですよ。デジタルマネーだと。もう現金はやめようという方向まで来ているんです。

中国が今、デジタルマネーか何かを打ち出した。これも前からのシナリオにあるんです。アメリカのドル体制が壊れて、中国が支配し、世界共産主義社会が誕生する。
僕はこの間の100号の「ほっとらいん」に、インフルエンザで死んだ数とか、グラフにして、これだけ世界中で大がかりにやられてきたというのは、ついに来るべき時が来たぞというのを書いたんです。2ページは、新世界秩序《ニューワールドオーダー》を書いたんです。彼らは、清教徒革命からフランス革命から、ずっと人間牧場をつくる狙いでやってきている。ユダヤ以外はゴイムなんだから。羊さんの群れだから。羊飼いがいるんだから、しょうがないでしょう。

これでも、テレビ見て何もわかってない人はいっぱいいるけど、僕らから言ったら、目に見える形でこれだけやられているのに、ロックフェラーが「メディアの皆さん、ここまで何も報道しないでいてくれてありがとう」と言ったことがあるんです。ここまで来れば、俺たちはもう大丈夫だと。ジキル島に集まってFRBをつくるときも、その後のインチキの会議だって、全然報道してないからね。

ロックフェラーが「メディアの皆さん、ここまで何も報道しないでいてくれてありがとう」と言ったことがあるんです。ここまで来れば、俺たちはもう大丈夫だと。ジキル島に集まってFRB をつくるときも、その後のインチキの会議だって、全然報道してないからね。

## 愚民化政策

昔からパンとサーカスというけど、愚民化政策といったら3S、スポーツ・セックス・スクリーンで、見事に貫徹された国だね。日本人なんか、完全なモルモットですよ。遺伝子組み換えの農薬のラウンドアップは、モンサントがどんどん訴えられて、世界中でラウンドアップが禁止になった。逆に日本は農薬の基準を大幅に緩和して、ラウンドアップを、どんどん入れている。ラウンドアッププレディーは、「アール・ユー・レディ？」と言って、ホームセンターで売っているんですよ。

遺伝子組み換えの食品を一番食べているのは日本人ですよ。自動販売機の甘いジュースは、果糖ブドウ糖液糖といって、全部遺伝子組み換えでつくったものですから。もちろん、コンビニの弁当とか、あんなのも全部そうです。なおかつ、肉は、ヨーロッパとかアメリカはオーガニックにこだわっているけど、日本は成長ホルモンを打って、抗生物質を打った肉が来るんです。よそはみんな、そんな日本人なんか、完全なモルモットですよ。遺伝子組み換えの農薬のラウンドアップは、モンサントがどんどん訴えられて、世界中でラウンドアップが禁止になった。逆に日本は農薬の基準を大幅に緩和して、ラウンドアップを、どんどん入れている。

ものは止めているのに平気で来るんだから。ソーシャル・ディスタンスで、マクドナルドに行って、ハンバーガー買ってくる。何を考えているんだという話です。

それくらいひどいのに、カネは全部巻き上げられるわけでしょう。郵便局の貯金もやれば、年金もやれば、消費税まで上げて、日本のカネをやるわけだから。それで、「安倍首相の世界外交」といって、ODAで世界中にバラまくでしょう。

水道の民営化をやるでしょう。種子法を廃止するでしょう。各都道府県の農業試験場が、戦後の食に困ったときのことを含めて、各地域で1つの病気が発生しても大丈夫なように、いろんな品種を、それぞれの地域に合ったものをつくりましょうと言って、国がカネを出して、各都道府県の農業試験場がそれぞれの種をきちっと守ってきたんです。野菜は途中でF1とか入られてしまったけど、穀物だけは残しておこうという話だった。

それを全て民間に解放しなさいと言うんだから。もう種子法はないんだ。一応、まだ国からカネは出ているみたいだけど、いずれ出なくなる。福井のコシヒカリといったって、それまでの都道府県がつくってきた種は公的なものだけど、その知見を民間に解放しなさいというんです。民間は何も苦労せずにその種の技術を遺伝子組み換えの食品を一番食べているのは日本人ですよ。自動販売機の甘いジュースは、果糖ブドウ糖液糖といって、全部遺伝子組み換えでつくったものですから。もちろん、コンビニの弁当とか、あんなのも全部そうです。なおかつ、肉は、ヨーロッパとかアメリカはオーガニックにこだわっているけど、日本は成長ホルモンを打って、抗生物質を打った肉が来るんです。よそはみんな、そんなものは止めている。

盗めるわけです。次に何かあったら、今の種子法なんですよ。コシヒカリの遺伝子組み換えをつくれば、すぐに新しいブランドで、知的財産権を得られるわけです。ちょっといじるだけだ。

その知的財産権を持って、よその田んぼから遺伝子組み換えのものが入ったら、おまえのところはおかしいと言って、裁判に訴えられるわけです。そういう世界が来る。そして、市場原理で行くから。

百姓が種取ってまくのは面倒くさいし、カネになるとか儲かるとかいう話をするから、誰もしない。種子法があって、ここの地域は種を取ってくださいと国から守られているから、みんな種取りを一生懸命やってくれるけど、そんなことをやってもらわないなら、誰が自分で種を取るか。上からヘリコプターで農薬をまこうが、人が死のうが、関係ないやつをつくって、それを家畜のエサとか人間に食わせる。人間も家畜みたいになっているんだろうけど、そういうことをやらされるという状況です。

日本人は消費者という部分も全然ダメです。ワクチンの接種なんていうのは、イタリアは制度自体が違うけれども、ドイツなんかデモをして止めた。日本なんか、雰囲気を見ていたって、全然止まらない。誰が社会的に問題意識を持つのか。

私がつらいなと思うのは、誰かにそれをやってほしいなというだけで、自分は絶対にいい子でいたい人ばかりなんだ。政治屋は次の選挙を考え、政治家は次の時代を考える」という格言があるが、次の時代のために、身を投げ出す、あえて捨石になるような突破者が必要だ。

引退した国会議員が私のところに来て、「君、本を読んでいるな。国会議員の部屋で、こんな本があるやつ、誰もいないぞ。こんな地方議員、県会議員がまだいるんだな。捨てたもんじゃない」などと言ってお帰りになる。

でも、学べば学ぶほど現実とのギャップに苛まされる。周りはお花畑にいるんだし、テレビの言うことは正しいんだし。私が、それは違うんだと言うと、「なに、あいつはバカなことを言っているんだ。県会議員なら、県庁の知事が言うとおり、率先してマスクしろよ」という感じだ。

マスクは、ざるで水をすくうようなものだとか、テニスのネットで砂を防ぐようなものだと言ってきたのに、今回は何だというんだ。夏場のマスクは、ばい菌ばかりついて、それこそバイキンマンがマスクにばい菌散らかしてみんなを病気にしたという、アンパンマンの話と一緒だよ。

# Part 13

# ど田舎に「都会」を組み込む！

## アグリツーリズモＮｏｒａ（ノラ）

金津インターを降りて、坂井北部丘陵地という通路は、もともとフルーツラインというんです。ナシとかスイカをつくっています。フルーツラインでイチゴがあるというのは最高じゃないかということもあるけれども、誰か視察に来ても、メシ食うところもなければ、お茶を飲む場所もなかった。だから、ここでやろうと。ただ、はやりの、どこか田舎の自分の家の離れで、昔の屏風でも立てて、湿っぽいご飯を食べるようなグリーンツーリズムをやろうとは思わなかった。イタリアのスローフード・スローライフで、お城を開放して、ワインとかハムとかガンガン出す。都市と農村の交流で、都市の人間が農村に憧れて、土日はみんな田舎に来て食事をする。都市の人間が田舎のいいものを高く買う。そんなことをイメージしたから、アグリツーリズモＮｏｒａ（ノラ）にしたんです。グリーンツーリズムＮｏｒａではない、アグリツーリズモＮｏｒａ。

　イタリアではアグリツーリズモ法というのがあるんです。都市と農村の交流とか、それを支援する事業がある。アグリカルチャーとツーリズムの合成語で、イタリアだからツーリズモというんだけど、今でもアグリツーリズモと日本で出すと、ノラは結構早めの順番で出てくるようなところはあると思います。

　敦賀港は、与謝野晶子が鉄幹を追いかけていった港ですけれども、昔、福井県は、港を発展させるのに、敦賀からロシアのナホトカ港へ行く『ロシア青年の船』というのがあったんです。その１つに、西ドイツコースというのがあって、僕はそれで西ドイツに行った。まだ東ドイツがあったころです。農業コースに行ったら、ワイナリーがあるところで、必ずメシの前には白ワインが出てくる。ある農家なんか、ウイスキーの小瓶みたいなのを１本渡してくれる。これがとてもうまい。それで１週間くらいいると、帰ってきたら、メシ食う前に一口飲まないと食えないみたいな感じになってくるんです。それで、みんなにワインを飲め飲めと言って、安いドイツの白ワインを飲ましていた。

だんだん冬になってきたら、寒いし、毎日飲んでいると腹が冷えて調子悪くなった。酒も酔っ払うし、ビールも問題だしと思ったら、赤ワインがちょうど血の温度と一緒みたいな感じで、赤ワインを飲み出した。というような格好で、こんなイタリアンになりました。

魚釣りの友人が、弁当を置き忘れて、１週間後に船に乗った。直射日光がガンガン当たっているのに、全然変わらないんです。カビも生えなきゃ、何も変わらない。昔は、弁当を置き忘れると、フワーッとして、カビで中の水分が全くなくて、軽くなっていた。それなのに、全然変わらない。

がんになるとか何かも全部食でしょう。もちろん波動とか、いろいろあるけれども、基本的には食いものを変えていったり断食をすることができれば、大分克服できるんです。食が全てだから。健康診断なんか行かなくても、調子が悪くなったら、船瀬さんじゃないけど、３日食べなきゃ７割治る。食うな・動くな・寝てろという鉄則をやればいいんです。

陶板浴では、シャンプーなんか置いてないんですよ。ノラの健康サロンには、陶板浴、ミストサウナ、メタトロン、バイコム、音響免疫チェアが入っています。また、プラズマセラピーができるように、プラズマパルサーを導入しました。この地域の人々の自然の治癒力を高めて、健やかになるセラピーをまとめて体験できます。宿泊もできるので、農業体験や各セラピーなど湯治場としてもお役に立てます。

プラズマウォーターを飲んでいると、僕も艶がよくなったような気がする。ある奥さんは、一晩で、次の日に宿便が出て、2日目で熟睡して、3日目に化粧水を塗ったら、しわが伸びたんだそうです。効く人はパッと効くんでしょうね。

プラズマウォーターを飲んでいると、僕も艶がよくなったような気がする。ある奥さんは、一晩で、次の日に宿便が出て、２日目で熟睡して、３日目に化粧水を塗ったら、しわが伸びたんだそうです。効く人はパッと効くんでしょうね。

# Part 14
# テレビは洗脳の道具って言ったってもうその意味さえ脳には入らない人ばかり！

## コロナで死ぬ1人を守るために、10人が死んでいいのか⁉

今は、マスクして、レストランは横並びで座れと言う。そういう店に「協力店」みたいな感じでステッカーを貼るからと県庁からも来ていますが、うちは独自でウイルスフリーといって、「ウイルス完全除去レストラン」とバーンと貼っている。

アルパカは寒いところの動物だから、霧をかけているんです。1日中やったら水道料金がかかるから、井戸でかけている。井戸でやったらフワーッと少ししか出ないけど、それを見てて、よし、玄関にあれをつけてやろうと思って、ウイルスフリーXを下のタンクに入れて、エンジンでフーッとまく。玄関を入るときにみんなシャワーを浴びて、「ウイルスフリーレストラン」（笑）。

横並びでメシ食って何がおいしいんだ。第一、そんなもので採算が合うわけがないじゃないですか。役所は自分たちに火の粉がかからないことを第一義にする。知事が緊急事態宣言を出したとき、「知事の一言が刃物に見える人がどれくらいいるか考えて欲しい。ゴールのないマラソンを走らせないように」。このままでは、「コロナ死より自殺者がふえる」と警鐘を鳴らしました。教育長にも、「いつまで子どもにマスクさせておくのか。自転車こいでマスクなんかして、逆効果だ」と言いました。

ＰＣＲ検査も、昔のラジオと一緒です。ボリュームをガーッと上げると、雑音がいっぱい入ってくるでしょう。あれと一緒で、何でも反応するんですよ。

風邪の15％から20％はコロナだから、昔のコロナのかけらがあると、全部出るんです。僕がみんなに言っているのは、どんなに熱が出てもＰＣＲ検査を受けるな。黙って家で寝てろ。死んだりしないから。万一のときは、俺がプラズマウォーターを持っていってやるって。

PCR 検査も、昔のラジオと一緒です。ボリュームをガーッと上げると、雑音がいっぱい入ってくるでしょう。あれと一緒で、何でも反応するんですよ。
風邪の15％から20％はコロナだから、昔のコロナのかけらがあると、全部出るんです。

みんなに僕が言っているのは、どんなに熱が出ても PCR 検査を受けるな。黙って家で寝てろ。死んだりしないから。万一のときは、俺がプラズマウォーターを持っていってやる。

新宿では、今、陽性だったら20万出すと坂の上さんが言っていた。初め、僕が行って対談したときは、「10万出すの、どう思いますか」と聞かれた。この前は、「今、20万ですよ」と言うんだ。みんな喜んで行く。若い衆なんか、全然関係ないんだから。第一、ＰＣＲの陽性者を感染者ということ自体とんでもない話だけど、それも日本人かどうかもわからない。外国人かもしれない。そのうち日本人は何人と聞いてないから。

徳島大学の大橋眞先生も、そもそもコロナウイルスは、何も証明したものはないんですよと。普通は抽出して、分離して、感染検査をして初めて成立するコッホの4原則というのがある。それをやってない。顕微鏡でのぞいて、イガイガのマークをそうだと言うけど、そういう人たち全部に「あんた、分離しているのか」と聞いても、誰もしてない。もともと発生した武漢の検査所は閉じているし、武漢で学者が書いた論文も、初めに発生したときから1カ月後に書いているんだって。あり得ないと大橋先生は言うんです。

ＰＣＲは、ＲＮＡウイルスの検査に使ってはならない
ＰＣＲの発明者であるキャリー・マリス博士（ノーベル賞受賞者）も、ＰＣＲを病原体検査に用いることの問題点を語っている。
大橋眞

論文を書くのに1年かかる。わずか10日や1カ月でできるはずがないと。それを頑としてやっている。

そこまでネットで流れていて、こんなことをよくやるよ。知っている者にしてみれば、俄然、腹が立ってしまう。

## 人間牧場をつくる

昔から言うように、パンとサーカスじゃないけども、スポーツ・セックス・スクリーンで、スクリーンをずっと見せられる。メディアは、人間牧場をつくるための、洗脳のための道具なんだ。

子どものときからスポーツ、スポーツ。中学校のときは夏目漱石ぐらい読まなダメでしょう。

ロックフェラーがある人に「今のウーマンリブの活動をどう思う？」と聞いたら、「それはいいんじゃないですか。女の人の権利が上がって」と言った。ロックフェラーが「誰がカネを出していると思うんだ。あれを出しているのは俺だよ」。「何でですか」と聞いたら、「女が外に出れば、税収も入るけども、子どもはみんな学校に預けて母親が見ない。学校は俺がやっているから、子どもは俺のものだ」と。

平等だ、自由だとやっているけど、子どもを学校で洗脳する、テレビで洗脳する、スポーツで物を考えない愚かな人間をつくる。全部、彼らの戦略だ。ビートルズにしろ、ボブ・ディランにしろ、音の周波数で麻薬に手を出すように持っていく。最後には、ジョン・レノンなんかも敢然と立ち向かうようになるから、暗殺される。暗殺した人は、繰り返し、ジョン・レノンを撃て、ジョン・レノンを撃てと頭の中で声が聞こえてくる。マイケル・ジャクソンもそうでしょうね。もともと、そっち系だったのが、目覚めるからやられる。

ケネディなんか、白昼堂々と大統領が暗殺されるんだからね。

真珠湾だって、自分のところの軍隊に一切知らせずに、何千人も平気で犠牲にしてしまう。9・11だって、完全なヤラセをやるわけだ。御巣鷹山に落ちたＪＡＬの飛行機やら、そんなことを言い出したら、ルーズベルトが言うように、この世で起きていることに偶然なんか１つもない。

ロックフェラーが昔言っていた、「マスコミはよくここまで我慢してくれた。もういいよ。これから幾ら言っても、止めることはできないから」みたいなことをやっているわけだ。

人を洗脳するためにどうしたらいいかとか、何を見たら人間はどう反応するとか、タビストック研究所は心理作戦の最たるものがある。そんな研究を尽くして今のテレビがある。

でも、日本のメディアはひどい。全然ダメ。それに対して、怒る人間がいない。三島由紀夫が自殺する前に、「日本という国はこのまま行くと滅んでしまうんじゃないか。富裕な経済大国が残るかもしらぬけど、そんなものがいいと思っている人と私は話をしたくない」と言っていたけど、そのとおりなんだ。何にも持たなくて、ただカネさえあればいいみたいな人間になってしまった。それが、つくられた日本ですよ。

明治維新からダメですね。お札に載っている人は外国勢力の協力者でしょう。おカネだって、５００円玉から1円玉まで足すと、６６６円でしょう。お札だって、１万円札から１０００円札で、１万８０００円でしょう。これも６６６でし

明治維新からダメですね。お札に載っている人は外国勢力の協力者でしょう。おカネだって、500円玉から１円玉まで足すと、666円でしょう。お札だって、１万円札から1000円札で、１万8000円でしょう。これも666でしょう。

ょう。

おカネにまつわることなんて、ホントにひどいですよ。樋口一葉で18ですからね。樋口一葉が何で関係があるのか。イチ・ハで18です。

# むすびに
# 行蔵《こうぞう》は我にあり

昨年の5月31日、坂の上零さんを福井県の私の事務所（アグリツーリズモ　ノラ）にお招きして、講演とピアノ演奏をしてもらった。

正直、それが彼女との始めての出会いで、本は2～3冊読んでたけど、どんな人かも知らなかった。（セクシーな写真とは若干違ったのだが…）

ご縁と言うのは不思議なもので、私がメールをしたら、コロナ禍で、講演会が相次いでキャンセルになったということで、気軽に応じていただいた。

彼女は、「医食同源」ナウマーケットに取り組んでおられて、Ｎｏｒａの雰囲気や商品、スローフード、スローライフをモチーフとした地産池消スタイルに共鳴され、自らが主宰する番組に出演して欲しいとの依頼を受けた。

それで、6月定例議会終了後、上京し、番組で坂の上さんと対談した。それが

7月11日、それを聞いていた出版社（ヒカルランド）の石井社長が「面白い」と言って、本にするということになって、社長自らが8月7日　福井に取材に来られた。

そして、12月には、船瀬俊介さんとの「大変化時代を知って生き抜く生対談」とカニツアーを企画いただいた。

今回、それらで、私が話した内容が本となった。片田舎の県議会議員の四方山話が本になるような内容とは思えないし、売れるとも思わない。もちろん、坂の上零さんのネームバリューで、一定程度は売れるのだろうけど、その採算度外視の石井社長の趣味的な感覚こそ、まさに「風の時代」の生き方なのかもしれない。

さて、原稿が出来上がってくる間に、身辺急を告げるような状況になった。支援者向けに書いている機関紙「ほっとらいん」で、ワクチンの危険性を訴え、打たないように警鐘を鳴らしたのだが、それが、あろうことか、全国ニュースとなって、日本全国に配信された。

その結果、日本中から、湧き上がるように、熱狂的な応援メッセージが届くようになった。

「衝撃で涙が止まらなかった」、「まともな政治家がいた」、「正義感と勇気を尊敬する」、「侍が残っていた」、「あなたは日本のトランプだ」、「愛国者がいた」、「あなたのような人を待っていた」、「勇気と感動をいただだいた」「立場のある人が言うと1万倍の力になる」「あなたは救世主だ」など。

ユーチューブでも、ゆーたろーさんや石川新一郎さんなどたくさんの方が取り上げられているようだ。


ところで、なぜ、片田舎の県議会議員の支援者向けの機関紙が全国ニュースになったのか、批判的な記事は地元の福井新聞だけで、ＮＨＫはじめ全国版はいずれも、私が「地元の有権者に『ワクチンは殺人兵器だ』と書いてある機関紙を配ったことが明らかになった」という、事実関係だけを全国に配信している。拝んでも頼んでも私のようなものが書いた記事が全国に配信されることは、ありえない。

考察すれば、これだけのコロナ騒動があり、ワクチン接種が始まっているのに、各政党、政治家、主要メディアからは、一切の疑問は投げかけられておらず、カラスの鳴かぬ日はあっても、コロナの感染者数を公表しない日はない。

ＰＣＲ検査陽性者を「感染者」にしてしまうインチキで恐怖感をあおり、支配する構図はまさに共産主義である。

ＰＣＲ検査を受けなければ、新型コロナは発生せず、単なる風邪にすぎない。風邪を引いたと思ったら、家で水分とって、保温して、寝ていれば自己免疫力で回復する。

なぜ、全国版に配信されたのか、ここから、現在の日本の政治がいかにおかしいのか、ということに気づかれるのではないでしょうか。

あれほど、「桜を見る会」や「森友、加計学園」問題などで厳しく追及した野党もひっそり息を潜めるばかりか、ＰＣＲ検査の推進、マスクをはじめとするコロナ対策の徹底、ワクチンの推進など、一色に染まっています。

これを全体主義といわずして、何と言えばよいのでしょうか。

政党が運動会の色別対抗リレーのように、同じ主催者の下で、共通の利害関係のもとで、その役割を演じているということです。

一言で言えば、日本の政治がハイジャックに遭い、操縦桿を誰かに握られているということです。

マスコミの良心が働いたのか、批判的なコメントが政治家から一切発せられないので、片田舎の機関紙にまで、捜し求めた結果ではなかったかと思います。

行蔵《こうぞう》は我に存《そん》す。

行蔵《こうぞう》は我に存《そん》す。
毀誉《きよ》は人の主張、我に与《あずか》らず我に関せずと存じ候《そうろう》。
各人へ御示し御座候とも毛頭《もうとう》異存《いぞん》これなく候。
（勝海舟）

我が行いは自らの信念によるものである。
けなしたりほめたりするのは人の勝手である。

私は関与しない。

どなたにお示しいただいてもまったく異存はない。

福沢諭吉が書いた『痩《や》せ我慢の説』に対する勝の有名な返事である。

命を賭けて、信念を持ってやったこと、学者・福沢ごときにとやかく言われる筋合いはないというのである。

「花は桜木、人は武士」という言葉がある。政治家を武士とするならば、大事の前に身を捨てる勇気と覚悟を平時から磨いておかねばならないと思う。

「君たちは功を成せ、私は大事を成すのだ」（吉田松陰）

光が闇を照らし、真実が明らかになる日は近い。

齊藤新緑

文句はあるか！ 斉藤新緑、爆弾発言！
著者：斉藤新緑
四六ソフト　予価 1,800円+税

坂の上零　さかのうえ れい
1972年１月25日、兵庫県生まれ。幼いころより自然にピアノを弾いて遊び、自作の絵本や物語、マンガを描くようになる。６歳から本格的にピアノを習い始めジャズピアニストを志して上京。ジャズピアニストとしてプロデビューを果たす。都内を中心にライブ、コンサート活動を行う中、映像の作曲などを手掛けるようになる。

インドに縁が深い。マザー・テレサから、世界でただ一人、マザー・テレサの名前を冠した音楽を出してよいという許可をもらった。いろんな有名な歌手が訪ねたが、誰も許可を得られなかった。坂の上零が作曲した「Song for Mother Teresa」と「交響曲　マザーテレサと神にささげる　全５楽章」の楽曲の第３楽章のソプラノのパートに、マザー・テレサからのメッセージを歌詞にして歌にしており、さらに、第４楽章のバラード版の楽曲を交響曲とは別に２パターンつくった。

音楽活動の場を海外に広げたものの心の支えであった婚約者が悲劇に見舞われ、音楽活動から離れてしまう。事故で顔を失った最愛の人の自殺未遂、生き別れなど大きな苦難に見舞われ、生きることに絶望したが、自殺しないために、苦しみを吐き出すために、小説を書きだした。その最初の作品が、大作『天使になった大統領　全８巻』（現在、４巻まで出版）となった。

あることがきっかけで国際金融に携わる。後に日本で初めて保険金受領権をつくり、保険受益権を誕生させた。複数の発明を成し、世界特許を取得。日本社会を根底から助ける新しい金融システムの発明家であり、この発明に基づく事業家でもある。

これら英国系オフショア金融などの経験を生かして、政治経済のライターとなり、過剰なグローバル経済政策から日本を守るため、政策・法案提案などの政治活動を開始。

現在は、日本企業とインド企業のビジネスマッチング、インドでの日系企業や外資企業の事業展開をサポートするインドを中心とした海外コンサルティングビジネスを展開している。インドでの JAPAN EXPO などの展示会やイベントを運営しており、トップルートでのビジネスマッチングも提供している。インドで JAZZ FESTIVAL と JAPAN EXPO を同時に開催する計画を練っており、現在、スポンサー企業を募っている。

2019年、医食同源 NAU・はこぶね組合を立ち上げる。５つの自立【①食と水の自立（自然農法のオーガニック食料の生産）、②医療の自立（治す医療）、③マネーと金融の自立、④経済の自立（次世代の産業技術の事業化）、⑤エネルギーの自立】を目指して、全国区に「はこぶねコミュニティー」の基盤をつくっている。現在では、淡路島を含めて、天然の種や農業、自然、森林、ミツバチ、生命循環、大地、水源、地方産業や伝統、匠の技などを含めて、まとめて衰退から守り、本当の日本を復活する里山 NAU ビレッジづくりを展開している。行き詰まっていく現代文明と世界経済が崩壊した後も、持続可能な社会をつくれるように、次世代の新しい社会体制をつくっている。コンセプトは「天がつくりたかった世界を地上につくる。自らが愛の人になって、地上地獄を地上天国に変えていく」である。

また、音楽活動も再開し、REI SAKANOUE の AQUARIUS というジャズバンドでもコンサートを定期的に行っている。ピアノ演奏と歌だけでなく、ジャズ以外にも交響曲やピアノコンチェルト、ポップス、ハウス系ダンス音楽、アシッドジャズ、フュージョン、ラテン、サルサ、ボサノバ、バラードなど、幅広いジャンルの音楽を作詞作曲し、ライブ活動を行っている。

（①医食同源はこぶね組合：https://www.hakobune.co　②インドビジネス展開／JAPAN EXPO：https://angelbankjapan.jimdo.com　③ドクターズブランド　志ほんもの大賞：https://coconau.com　④ REI SAKANOUE ファンクラブ：https://www.reisakanoue.com）

斉藤新緑　さいとう しんりょく

1956年10月１日生まれ　64歳

1975年　県立福井商業高校卒

　　　　福井県労働金庫入庫（16年勤務）

1991年　三国町議会議員就任　34歳

1998年　三国町議会副議長就任

1999年　福井県議会議員就任　42歳

2010年　福井県議会議長就任　53歳

　以後、県議会自民党会派会長、自民党県連幹事長などを経て、現在　自民党県連会長代行。

2013年　アグリツーリズモ　Nora を開設。

# 奪われし日本

第一刷　2021年5月31日

著者　斉藤新緑
　　　坂の上零

発行人　石井健資

発行所　株式会社ヒカルランド
〒162-0821　東京都新宿区津久戸町3-11　TH1ビル6F
電話　03-6265-0852　ファックス　03-6265-0853
http://www.hikaruland.co.jp　info@hikaruland.co.jp

振替　00180-8-496587

本文・カバー・製本　中央精版印刷株式会社

DTP　株式会社キャップス

編集担当　TakeCO


ISBN978-4-86471-590-4

R E I　S A K A N O U E

# 坂の上零の活動

## 多岐に渡る救済活動。地上天国の礎を創る

**1．行き詰まり、破滅に向かう世界経済と地球の現文明へのトータルな解決法**

坂の上零の理念の5つの自立（①自然栽培の農業と食料、種、水の自立、②医療の自立、③金融システム、マネーの自立、④たらしい産業で経済の自立、⑤エネルギーの自立）を叶えたNAU、Noah's Ark Union

**★ワクチンSOS：ワクチン・抗がん剤に慎重な医師たちの会**

★医食同源NAUはこぶねコミュニティー村★を造り、
それを世界中に展開する。無病化、自然保護の推進。
このための運転資金を集める（400億円）

**2．医食同源NAU若返りビレッジ　設立準備。①細胞再生治療**
**②医食同源の食による和の医学の復活、③次世代リーダー教育**
**③自然栽培の教育と実践、普及、④　5つの自立で自営する村**

細胞再生治療を学ぶ医者・治療師の教育と、自然栽培の教育
医療法人、農業法人、研究所をつくり、独自ブランドの事業展開

**3．Channel ZERO(YouTube)の番組制作と作家の真実の報道**

⇒　事実やマスコミが報道しない知るべき大事な情報の報道。

**4．坂の上零の「人生を変える」講演、ココナウなどWEB講演**

⇒　コアな世界情勢の分析と大学で教えない重要な分野の講義

**5．作詞作曲した音楽などのライブ、JAZZコンサート**

**6．坂の上零の新しいマネー。及び、NAUポイント、NAU CARD**

⇒　金融崩壊の中、最大限、資産を守る。

**7．NAUポイントで物々交換するCOCONAU（独自経済圏）**

これを世界各国に広げていくことが、新しい国造りとなり、
「お金があまりなくても、幸せに暮らせる社会」の理念の実現。
お金に世界平和に貢献する基軸。

**8．アフターコロナで金融崩壊し、行き詰まる社会に包括的な解決法をフルパッケージでご提供**

その基軸は、愛と調和と芸術の新しい世を創る「はこぶねコミュニティー活動」

**9．ドクターズブランド医食同源NAU　を展開し、各地の地方創生に貢献する。**

問題があれば、そこに、解決法をもたらす。絶望の中に希望をつくる方法を考案、
ビジネスモデルを展開し、「かつてない驚き、より良き世界」の創出に挑戦

**10．JAPAN EXPO。インドでのビジネスマッチング（海外事業コンサル）**

日本に居ながら、インドでネット販売代行。インドでビジネスマッチング。
展示会など実施。インド以外でも、インドネシア他など事業展開コンサル

**11．インド・海外で、水とフリーエネルギー普及、各種最先端技術と新しい銀行設立事業化予定**

# Channel ZERO/坂の上零の活動

## ①ZEROサポーター　②法人コンサルティング依頼

## 登録:申込書

**FAX:03-5937-6763　bluemen3939@yahoo.co.jpまで**

**①ZEROサポーター**

**月額 1980円**

Channel ZERO放送と、
坂の上零の活動を個人的に総サポート

**②COCONAU はこぶね組合**

**個人月1000円・法人月1万円**

COCONAU.com ⇒ 新規登録 ⇒ 組合サポーター登録（登録詳細はココナウに記載）

**③法人コンサルティング：　月7万円から。（コンサル1回無料）**

特典①:通常のTV広告は高いが、安く、広く、長期で、広告可能
特典②:商品・サービスが良いなら、番組内でプレゼンCM可能
特典③:海外事業、特に、巨大なインド市場での事業展開に有利
特典④:ENGLISHで、海外放送もするため、海外にも英語でCMできるため、
海外市場で販売展開したい企業には、メリット大
特典⑤:　坂の上零のマーケティング戦略、企業コンサルティングを、格安サービス
（1回無料券つき）

①、または、②、またjは、③のうち１つをお選びください。記載なければ、①　**ZEROサポーターとなります**

私は、私の以下の通り、私の意志でChanne ZERO/坂の上零氏の活動を毎月支援します。
解約する際には、自ら解約通知を指定銀行と本部に出しますと2か月以内に引き落としは停止されること、及び、それまでに支払った支援金は戻らないことを了承しますので、返金請求は致しません。ZERO特派員となってサポートする場合、自分の要求や提案、企画、動画、記事などが本部で採用されない場合があることを了承します。スタッフとしての活動への参加は、私の意志で、してもいいし、しなくても良いので、雇用契約がある業務ではなく、賃金等は発生しないことに了承します。

**申込用紙**　（以下、サポート形態として、①、②、③のどれかを○で囲んでください。なければ、①になります）

Channel ZERO, 坂の上零氏の活動をサポートする形態として、私は、（　①　②　③　）を選びます。

| | | | | |
|---|---|---|---|---|
| 氏名　（ふりがな） | 生年月日 | 年（西暦）　月　日 | | |
| | 性別 | 男　女 | 年齢 | 歳 |

ご住所　（郵便番号　〒　　　　　）

都・道・府・県　　　　市/区　　　　。

番地　　　　マンション名　　　　。

| | | | |
|---|---|---|---|
| 携帯電話 | | 固定電話 | |

メールアドレス（きれいな字で）（　　　　@　　　　）

ラインID:（　　　　）　FBアカウント名（　　　　）

備考；ご意見　　（iiiの法人スポンサー申込の場合、本部よりご連絡申し上げます）

事務所　　**東京都新宿区西新宿8－15－3－902　坂の上零サポーター事務所**

ワクチンSOS！ VACCINE SOS!
ワクチンに慎重な人たちへの処方箋
https://goodheartdoctor.org
ワクチンSOS
申込みフォーム
そのワクチン、本当に打つのですか？
提携病院/医師も同時募集
ワクチン・抗がん剤に慎重な医師たちの会 ワクチンSOS
説明動画
NDA ID 組合
WEB 面接
紹介状
受診 検査
真実を報道するNEWS ZERO
毎週木曜日22時（独自WEB）
https://coconau.com → NAU TV

VIRUS FREE
VIRUS FREEバリア 商品すべて日本国内生産
水を雲にした全身バリア 超音波噴霧器
用途に合わせて、デザイン、色、
サイズ、高さ、オプション機能など、
お付けできます。
瞬時に感染防止、全身除菌コーティング
水を0.1ミクロンまで細かく、煙になった
VIRUS FREE Xとセットで超お得！
Virus Free X
対比表：価格 コストパフォーマンス
これでワクチン不要
高い日本の技術
日本製の安心
経済産業省認定
コロナ対策成分使用
業界トップレベルの
除菌効果！
なのに
驚きのコスパ
1L約600円!
業務用は約391円〜
病院・ホテルの
施工実績多数
抗菌・防カビ
コーティング施工承ります！
https://virusfree.co.jp
約5分で
99.8%
除菌と防カビ
NAU!! はこぶね
REAL ORGANIC
18ℓ業務用：1回0.9円 42000回分（1日電気代25円）
部屋中丸ごと空気も除菌！
除菌 洗浄 消臭 防カビ 抗菌 ノンアルコール 非塩素
VirusFreeX
ウイルスフリーエックス
ウィルスフリー
除カビ施工後
アルコール除菌は
ウィルスフリー施工前
マスクにシュッ！で
ウイルスフリーマスクに!
鳥インフル、家畜の感染予防にも有効
すべてのウィルスの元のカビを除去！
トップクラスの高い成果が長い間つづく！インフルエンザ、ノロにも効果的

## ◎坂の上零さんがプロデュース

日本企業のインドでの事業展開サポートなど、国際ビジネスコンサルタントとして活動する一方で、ジャズピアニスト、シンガー、作家、社会活動家といったさまざまな顔を持ち、ヒカルランドからも多数の著書を出版している坂の上零さんがプロデュース。医療や教育の現場で多くの方が除菌によって肌のトラブルを抱えている状況を鑑み、誰もが人間らしい環境を取り戻すために役立ちたいという思いから開発されました。

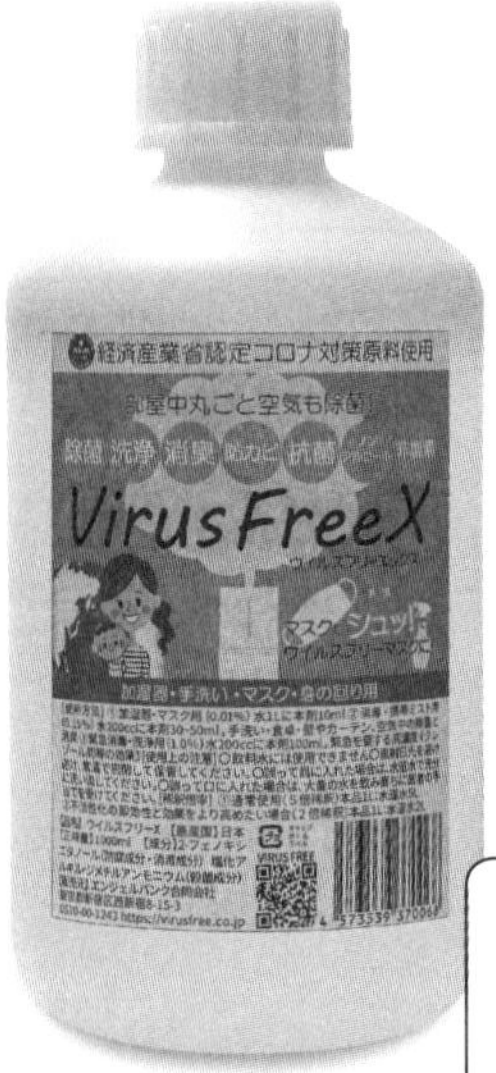


**ウイルスフリーX（Virus Free X）**

■ 3,960円（税込）
■ 50mℓ空ボトル１本付きセット
　4,500円（税込）
■ 150mℓ空ボトル１本付きセット
　4,550円（税込）

●内容量：1000mℓ　●成分：2-フェノキシエタノール、塩化ジアルキルジメチルアンモニウム　●生産国：日本
●使用方法：①加湿器・マスク用……水1000mℓに本剤10mℓ　②手洗い・携帯ミスト用……水200mℓに本剤30～50mℓ（手指・食卓・壁やカーテン、空気中の除菌と消臭）　③緊急消毒・洗浄用……水200mℓに本剤100mℓ（緊急を要する高濃度。クレゾールと同等の効果）
※製造時の供給状況により、お届けまでお時間をいただく場合があります。また、ペットボトル、ビニール製など形状が写真と異なる場合があります。（容量や品質に変更はございません）

スプレーボトル
付きもご用意！

防カビ洗浄・除菌抗菌・ウイルス不活性化の業務用施工（３～５年の品質保証）も承っています。ご相談・お見積もりは無料です。詳細はヒカルランドパークまでお問い合わせください。

ヒカルランドパーク取扱い商品に関するお問い合わせ等は
メール：info@hikarulandpark.jp　URL：http://www.hikaruland.co.jp/
03-5225-2671（平日10-17時）

＊ご案内の価格、その他情報は発行日時点のものとなります。

## 安心して使えてお財布にも優しい除菌剤
## ウイルスもわずか5分で99.8%不活性化!

### ◎今を揺るがす感染症に対し政府も認めた有効原料を使用

毎日の安心安全な暮らしのために欠かせなくなった除菌剤ですが、アルコールや塩素使用のものが一般的で、肌にダメージを与えてしまったり、臭いで体調が悪くなってしまう方もいらっしゃいます。そこで「ウイルスフリーX」は、赤ちゃんからお年寄りの方、ペットまで安心して除菌できるよう、ノンアルコール・塩素不使用にこだわり、厳選された2つの安心成分だけを採用。プラスチック、ゴム製品、合成樹脂、金属などに対しても影響を与えないので、材質を気にせずに除菌ができます。

即効性を求めるなら3倍希釈、手指や室内除菌用なら6倍希釈で十分なのでコスパも抜群です！　遠慮なく存分にお使いください。

### 「ウイルスフリーX」に含まれている2つの安心成分

■第四級アンモニウム塩含有製剤（塩化ジアルキルジメチルアンモニウム含む）
あかちゃんのおしり拭きなどにも使用されており、中性で金属腐食もありません。経済産業省は2020年現在猛威をふるっている新型コロナウイルスへの有効原料として公表もしており、安全かつ効果の期待できる注目成分です。

■ 2-フェノキシエタノール
防腐剤として化粧品などに使用されており、自然界でも玉露などに存在する揮発成分です。

### ◎業界屈指の除菌効果！　6倍希釈の場合の ウイルス不活性率は、5分後には99.8%！

「ウイルスフリーX」はアルコール製のように揮発せず、除菌効果が持続し、抗菌作用は数日間持続します。もともと、カビ対策やプールの消毒のために開発された経緯から、カビの除去・発生防止効果が高いのも特長です。ウイルスはカビや細菌に付着して増殖する性質を持っていますので、カビのない清浄な空間づくりがウイルス対策にはたいへん有効となります。

こうした効果的なウイルス不活性化の働きが評価され、「ウイルスフリーX」は病院、公共施設、旅館・ホテル、スーパーなど、さまざまな場所で業務用施工の実績をあげています。

## ◎半永久的に使える！　豊富なラインナップをご用意

人工電磁波はもちろん、地磁気、ネガティブな物質やエネルギー、他人からの念や憑依等の霊的影響まで、様々なネガティブ波動から守るツールとして、今日ではCMC が充填された数多くの製品が登場しています。設置型の「CMC スタビライザー」、ハイブリッド車に対応した「CMC ハイブリッド」、アクセサリータイプの「CMC ペンダント」、携帯用として進化した「CMC ロッド」、電気機器そのものにアプローチする「CMC エレメント」、ゼロ磁場水をつくる「CMC セラミックビーズ」と、用途に応じて自分に合ったものを選べます。CMC グッズはメンテナンス一切不要で一生涯使えるのも◎。

ネガティブな波動をポジティブな波動へ——。日常生活の中で高まる波動リスクを回避し、心身健やかで安心できる毎日を送るために、生体と親和する CMC の螺旋パワーをお役立てください。

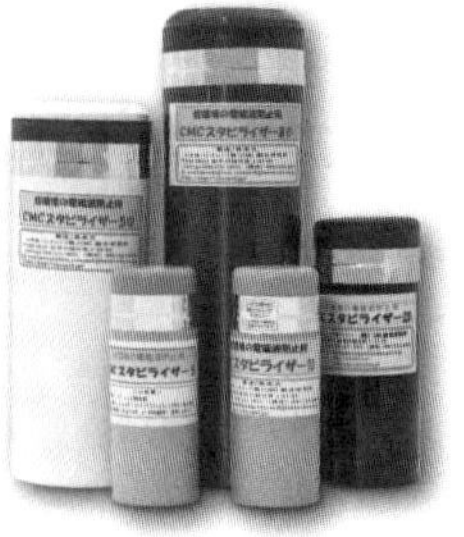

### 自宅・オフィスのネガティブ波動から防御

**CMCスタビライザー**

■ No.5　(白、赤、空)　各 55,000円 (税込)
■ No.10 (ベージュ)　99,000円 (税込)
■ No.20 (白、赤、黒)　各165,000円 (税込)
■ No.50 (白、赤、黒)　各385,000円 (税込)
■ No.80 (白、赤、黒)　各572,000円 (税込)

今や家もオフィスもたくさんの電化製品や配線にあふれているのが当たり前。こうした状況から、一件まるごと電磁波防御をしてくれる設置型タイプが「CMC スタビライザー」です。建物のサイズや CMC 充填量を参考に 5 種類の中からお選びいただけます。

●容器：SUS 製円筒容器　●使用例：①パソコン、コピー機、無線 LAN などのある家屋・オフィス、②モーター、電子機器のある工場、③近くに高圧送電線、携帯電話用アンテナ、柱上・路上トランス、太陽光発電所・風力発電所等のある家屋・オフィス、④地磁気の低い土地にある家屋・ビル、⑤静電気ストレスがあるビル・オフィス、⑥ LED 照明を使用している家屋・オフィスなど　●有効期限：半永久的

※内部に充填した CMC 粉末が飛び散る恐れがあるので、フタは絶対に開けないでください。

### CMC スタビライザー比較表

| 種類 | 色 | サイズ | 重量 | CMC 充填量 | 有効範囲 |
|---|---|---|---|---|---|
| No. 5 | 白・赤・空 | 底直径4. 5×高さ12cm（赤のみ底直径5. 5×高さ14. 5cm） | 約80g（赤のみ約140g） | 5 g | 半径約50m |
| No. 10 | ベージュ | 底直径4. 5×高さ12cm | 約85g | 10g | 半径約75m |
| No. 20 | 白・赤・黒 | 底直径5. 5×高さ14～14. 5cm | 約180g | 20g | 半径約100m |
| No. 50 | 白・赤・黒 | 底直径7. 5×20cm | 約350g | 50g | 半径約200m |
| No. 80 | 白・赤・黒 | 底直径7. 5×25cm | 約440g | 80g | 半径約300m |

＊ご案内の価格、その他情報は発行日時点のものとなります。

# 遺伝子と同じ螺旋《らせん》構造のスーパーコイル「ＣＭＣ《カーボンマイクロコイル》」が5G電磁波、ウイルス、ネガティブ物質から防御する切り札に！

## ◎避けられないネガティブ波動からいかに防衛していくか

21世紀も早20年。特に近年の通信分野の発展には目覚ましいものがあり、2020年には５Ｇ（第５世代移動通信システム）がスタート。スマホなどによる利便性はさらに高まるでしょう。一方で、便利さとは引き換えにマイクロ波を用いた５Ｇによる人工電磁波が、知らずのうちに人体にストレスを与え、自律神経を乱し、免疫を低下させる要因になることが懸念されています。

このまま５Ｇの強烈な電磁波を人類が浴び続けていくと、電磁波ストレスが人々の免疫を著しく低下させ、ウイルスのパンデミックをたびたび引き起こしてしまう可能性が示唆されています。さらに、農薬などによる化学物質や地磁気の乱れによる影響も深刻化しています。こうしたネガティブ波動に左右されず、いかに自衛して健康を維持していくか、一人ひとりに求められてきています。その対策に有効な、未来への希望につながる技術は日本から生まれています。世界随一の技術 CMC（カーボンマイクロコイル）をご紹介しましょう。

## ◎万物創造の螺旋パワーを内包したコイルがゼロ磁場を形成

元島栖二《もとじませいじ》氏

岐阜大学名誉教授・工学博士の元島栖二氏は、アセチレンを高温熱分解し二重螺旋状の特殊な炭素繊維を発見、CMC と名付けました。螺旋は人体に備わる遺伝子（DNA）の構造そのものであり、不思議なことに CMC は、まるで命を与えられたかのように、人間の鼓動（脈拍）と同じリズムで回転（約60回転／分）しながら、生命と共鳴し合って成長していきます。
そんな CMC に宇宙線や人工電磁波が照射されると、ファラデーの法則により誘導電流が流れ、右巻き・左巻き双方のコイルに反対方向の磁場が発生し、それらが互いに干渉し合うことでゼロ磁場が発生。人工電磁波の波動をマイルドな波長へと変調させ、イヤシロチの場へと調整してくれるのです。

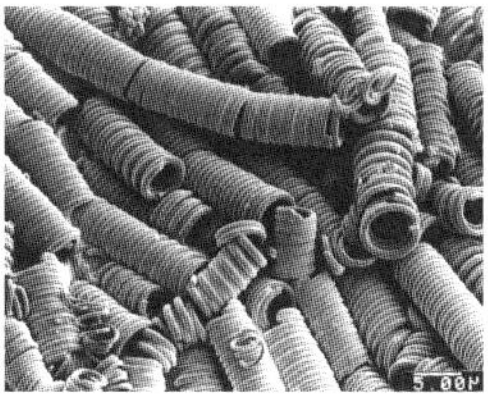


右巻きと左巻きコイルが1：1の割合で混合

ゼロ磁場が形成され、人工電磁波の影響や生体波動の乱れが調整されてくると、自律神経のバランスが整い、脳の波長はリラックスを示す $\alpha$ 波優位の状態へと変化していきます。また、食品や水、大気汚染によって体に蓄積された水銀などの重金属もデトックス。免疫を高め、ウイルスにも負けない健康な身体づくりをサポートしていきます。さらに、染色体の末端に存在し、健康と長寿のバロメータとも称される DNA の塊・テロメアと強く共振し合う性質を持つことも、研究結果から明らかになっています。

## コンパクトながら CMC 増量充填の携帯タイプ

### CMCロッド

■ 33,000円（税込）

カバンはもちろん、財布やポケットにも入れられるサイズながら、「CMC ペンダント」と比較して2.5倍の CMC 充填量を実現。ネガティブエネルギーに敏感な方、特に健康やウイルス感染の防止に気をつけている方にオススメです。

●カラー：ブルー　●サイズ：直径1.4×縦10㎝
●重量：約14ｇ　●母材：アルミニウム　● CMC 充填量：2.5ｇ　●有効期限：半永久的

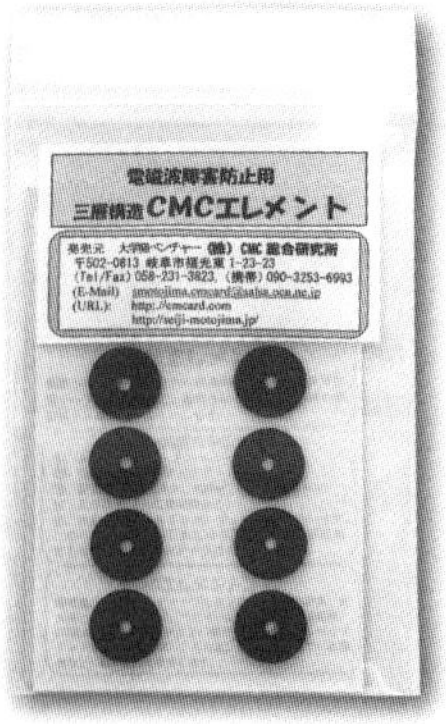


## 電磁波が気になる電気機器にペタッ！

### CMCエレメント

■ 7,150円（税込）

CMC 含有シリコンシートが電気機器から放射される電磁波をクリアリング。配電盤・コンセントなどの電気配線、冷蔵庫・IH 調理器・電子レンジなどの電子機器、車、携帯電話・スマホの裏側などに貼り付けてご使用ください。

●枚数：10枚／シート　●サイズ：直径1.5㎝／枚
●仕様：三層構造（CMC／磁性粉末／CMC）

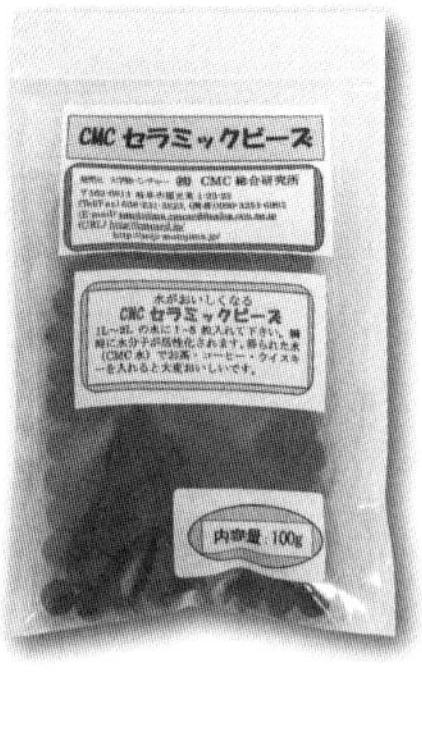


## 水道水を安全で パワフルなゼロ磁場活性水に

### CMCセラミックビーズ

■ 20ｇ／袋（約28粒）　6,380円（税込）
■ 100ｇ／袋　29,700円（税込）

CMC をセラミックに添加し焼成しました。水道水に入れるだけで水分子を活性化し、塩素等の波動をクリアリング。高濃度の水素・酸素を含んだゼロ磁場水へと昇華させます。

●サイズ：8.5～９㎜／粒　●使用方法：水道水１リットルあたり１～３粒。テロメアとの共鳴度アップのためには15～20粒
※沸騰した熱湯中に入れても差し支えありませんが、鍋を傷つけることもありますのでご注意ください。

＊ご案内の価格、その他情報は発行日時点のものとなります。

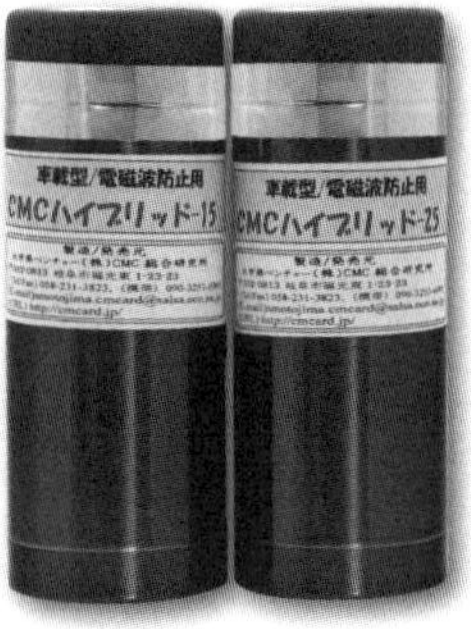


## ハイブリッド車の電磁波カットに！

### CMCハイブリッド

■ ハイブリッド−15　132,000円（税込）

■ ハイブリッド−25　198,000円（税込）

モーターが多用され実は電磁波の影響が甚大なハイブリッド車や電気自動車。電磁波ストレスから眠気や集中力低下を招くこともあり、対策は必須です。ドリンクホルダーにピッタリで設置しやすく、車内の高温や低温に対しても問題ありません。小型車は15型、中型車は25型をどうぞ。

●カラー：赤

●サイズ：底直径5.5×高さ14.5㎝　●重量：［ハイブリッド−15］約170ｇ、［ハイブリッド−25］約190ｇ　●母材：SUS　●CMC充填量：［ハイブリッド−15］15ｇ、［ハイブリッド−25］25ｇ　●有効期限：半永久的

※内部に充填したCMC粉末が飛び散る恐れがあるので、フタは絶対に開けないでください。

## アクセサリー感覚で電磁波からプロテクト

### CMCペンダント

■Ｃ型　16,500円（税込）

■Ｄ型　22,000円（税込）

身につけながら電磁波対策ができるペンダントタイプ。その効果は自分の近くにいる人にまで及び、自分自身が歩くパワースポットのように！　お値打ち価格のＣ型、アルミニウム製で軽量化しCMC充填量をアップしたＤ型の２種類を用意。携帯電話やスマホでの通話の多い方、新幹線・飛行機での移動が多い方にオススメです。

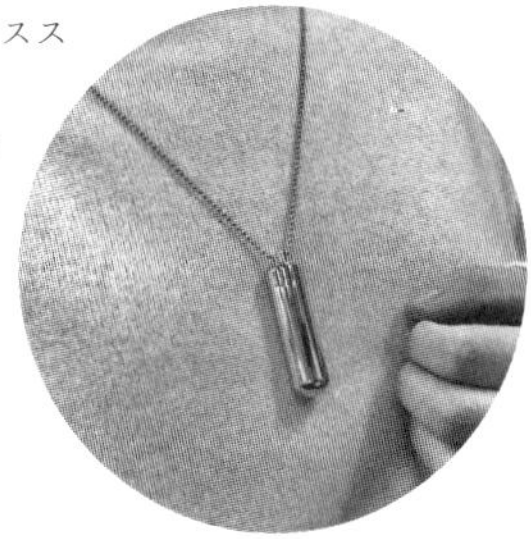

●カラー：シルバー　●仕様：［Ｃ型］SUS（光輝処理）、直径1.3×縦4.3㎝、重量約20ｇ、CMC充填量500㎎、［Ｄ型］アルミニウム（表面：耐食・耐摩耗性のアルマイト加工）、直径1.4×縦5.75㎝、重量約14ｇ、CMC充填量１ｇ　●有効期限：半永久的

※重量はいずれもチェーン含む。※写真はＣ型。

ヒカルランドパーク取扱い商品に関するお問い合わせ等は
メール：info@hikarulandpark.jp　URL：http://www.hikaruland.co.jp/
03-5225-2671（平日10-17時）

ヒカルランド　好評既刊!

地上の星☆ヒカルランド　銀河より届く愛と叡智の宅配便

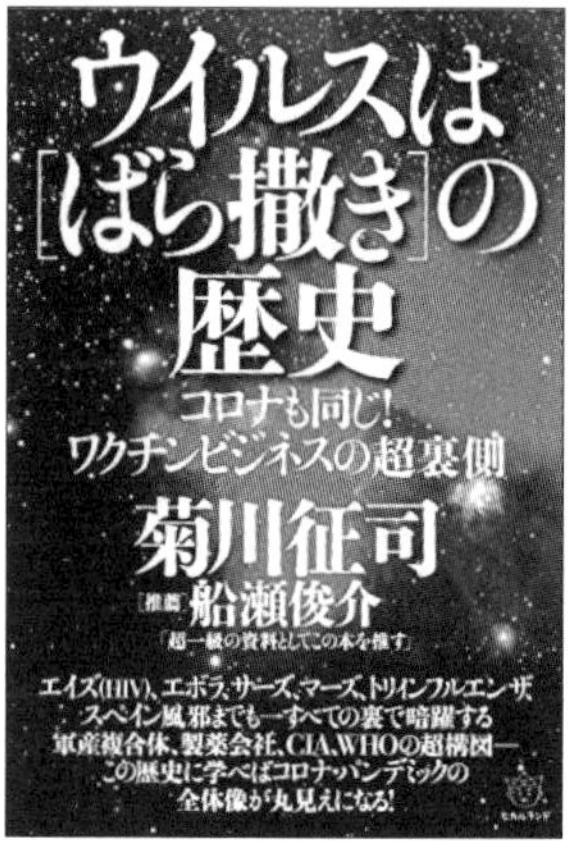


ウイルスは［ばら撒き］の歴史
著者：菊川征司
推薦：船瀬俊介
四六ソフト　本体2,000円+税

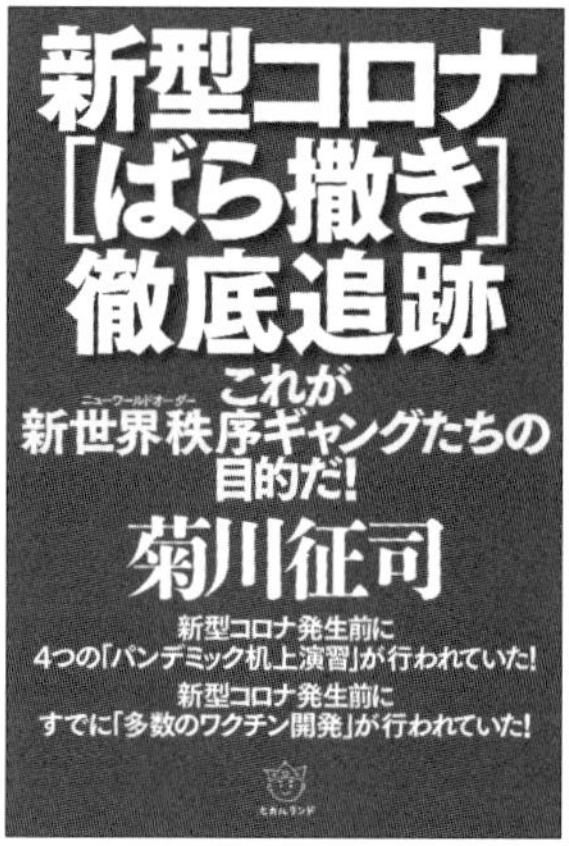


新型コロナ［ばら撒き］徹底追跡
著者：菊川征司
四六ソフト　本体1,800円+税

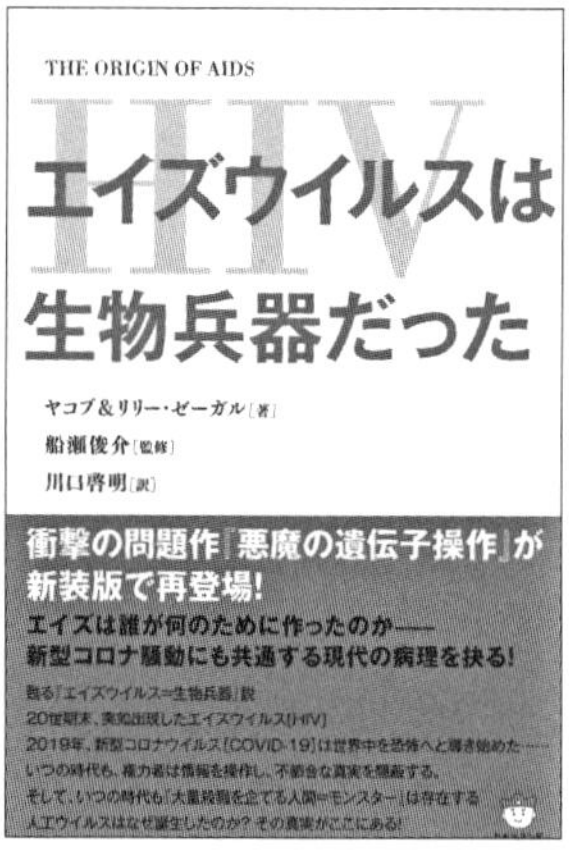


エイズウイルス（HIV）は生物兵器だった
著者：ヤコブ&リリー・ゼーガル
監修：船瀬俊介
訳者：川口啓明
四六ソフト　本体2,000円+税

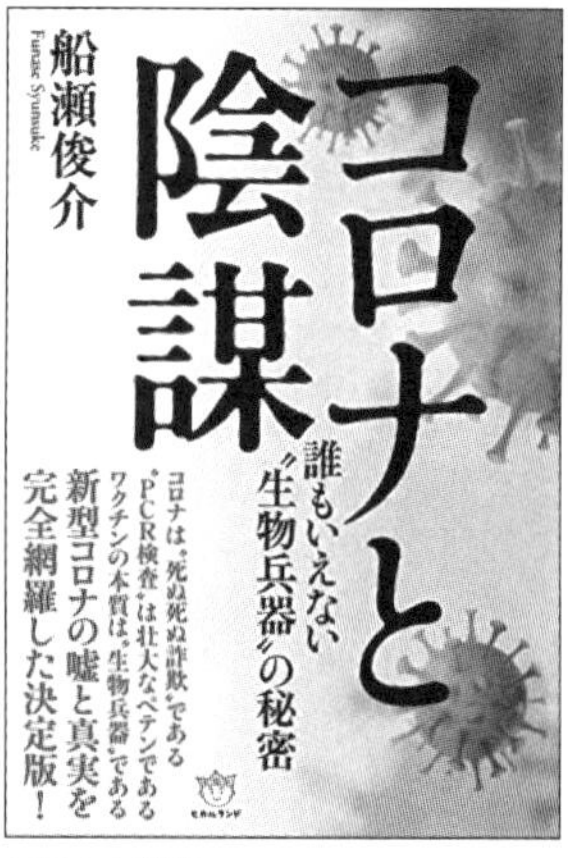


コロナと陰謀
著者：船瀬俊介
四六ソフト　本体2,500円+税

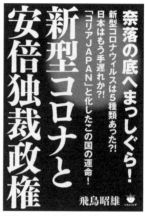

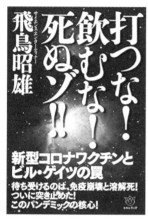

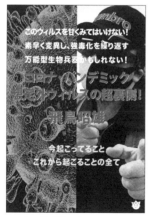

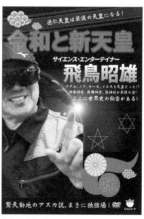

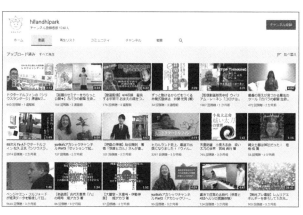

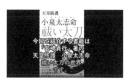

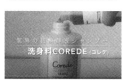

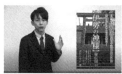

**ヒカルランド　好評既刊！**

地上の星☆ヒカルランド　銀河より届く愛と叡智の宅配便

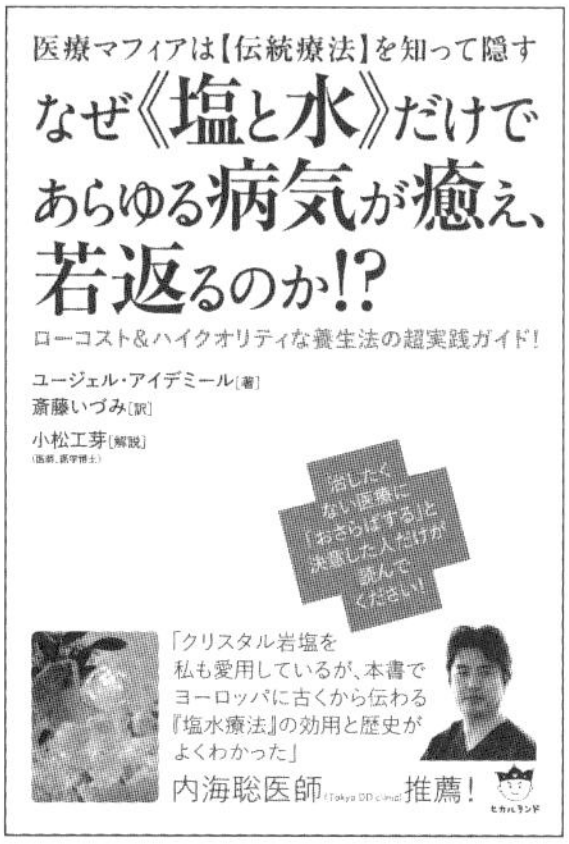


なぜ《塩と水》だけで
あらゆる病気が癒え、若返るのか!?
著者：ユージェル・アイデミール
訳者：斎藤いづみ
四六ソフト　本体1,815円+税

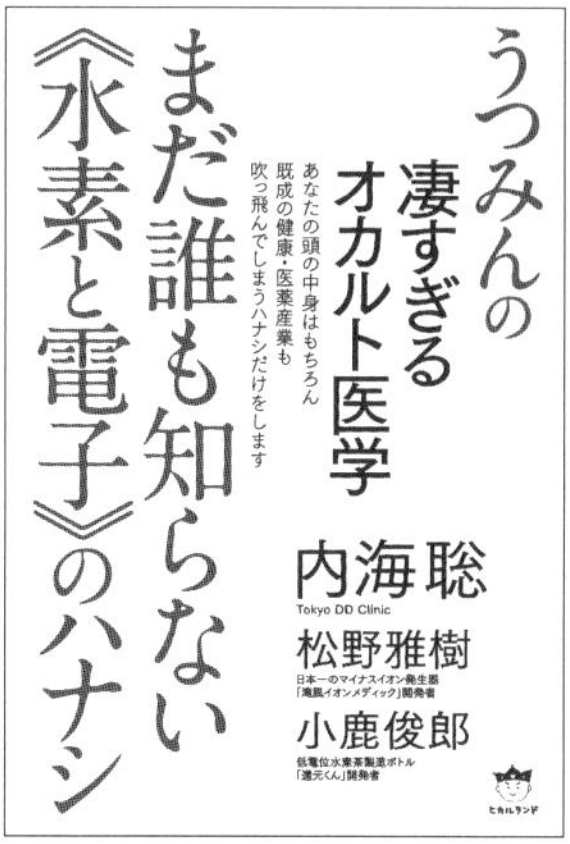


うつみんの凄すぎるオカルト医学
まだ誰も知らない《水素と電子》のハナシ
著者：内海聡／松野雅樹／小鹿俊郎
四六ソフト　本体1,815円+税

奇跡を起こす【キントン海水療法（マリンテラピー）】のすべて
著者：木村一相（笹塚歯科院長）
協力：マリンテラピー海水療法研究所
四六ハード　本体2,500円+税

Dr.シェードのハイパー解毒メソッド
デトックスシステムの超革命
著者：クリストファー・シェード／木村一相
協力：QSSジャパンチーム
四六ハード　本体2,500円+税

**ヒカルランド　好評既刊！**

地上の星☆ヒカルランド　銀河より届く愛と叡智の宅配便

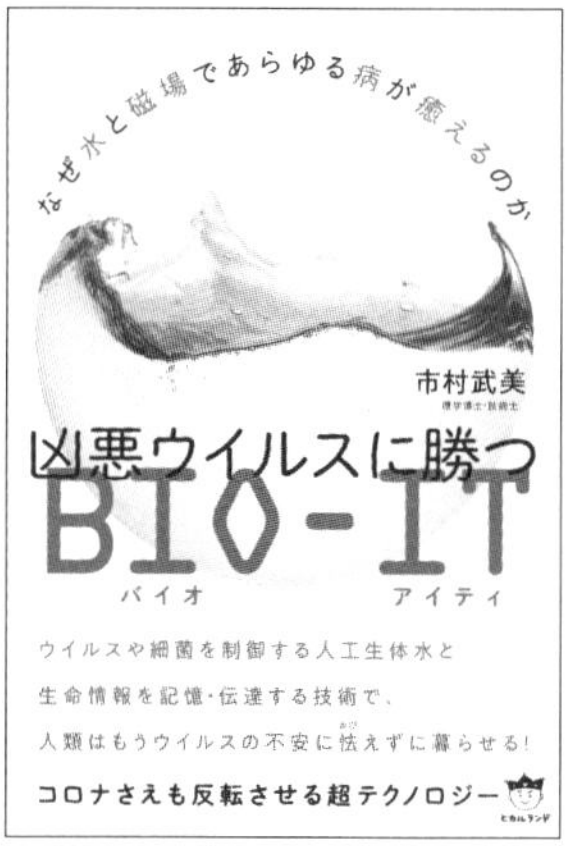


凶悪ウイルスに勝つBIO-IT
（バイオ アイティ）
著者：市村武美
四六ソフト　本体2,000円+税

コロナと胎内記憶とみつばち
著者：船橋康貴／池川 明
四六ソフト　本体2,000円+税

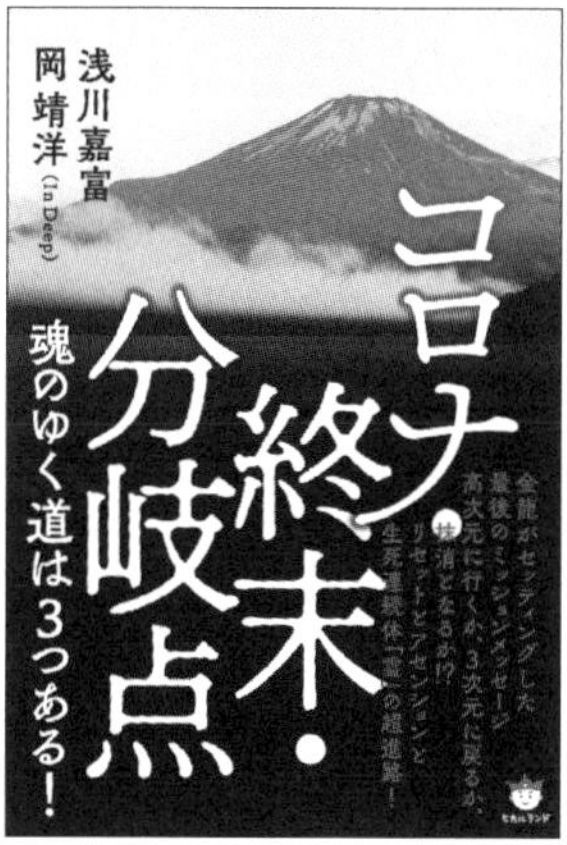


コロナ・終末・分岐点
魂のゆく道は３つある！
著者：浅川嘉富／岡 靖洋（In Deep）
四六ソフト　本体2,000円+税

新型コロナウィルスは細菌兵器である！
著者：泉パウロ
四六ソフト　本体2,400円+税